La Terre sur un fil

Mise en pages : Marina Smid

Cet ouvrage est paru aux Éditions Le Pommier en 2004

ISBN : 9782746504738
239, rue Saint-Jacques, 75005 Paris
www.editions-lepommier.fr

Éric Lambin

La Terre sur un fil

Ouvrage publié avec
le concours du Centre national du livre

[POCHE-LE POMMIER !]

« Nous autres civilisations,
nous savons maintenant
que nous sommes mortelles... »
Paul Valéry, 1919

« Nous nous sommes libérés de l'environnement.
Maintenant, il est temps de libérer
l'environnement lui-même. »
Jesse Ausubel, 1997

« Dans ce monde, les optimistes gagnent,
non pas qu'ils aient toujours raison,
mais parce qu'ils sont positifs. Même lorsqu'ils
ont tort, ils sont positifs et telle est la voie
de la réussite, de l'ajustement,
de l'amélioration et du succès.
Un optimisme éduqué et lucide paie ;
le pessimisme peut seulement offrir la vaine
consolation d'avoir raison. »
David Landes, 1998

Sommaire

Un jour que je roulais sur un boulevard de San Francisco, je vis un clochard qui se tenait sur la berne centrale, brandissant un panneau de carton sur lequel était écrit : « Pourquoi ? » Pourquoi suis-je là, pauvre et démuni ? Pourquoi suis-je sur Terre ? Pourquoi le monde moderne est-il ainsi ? Qu'en est-il de l'avenir de l'humanité et du monde ? Peut-être est-ce parce qu'il se posait des questions existentielles qu'il s'est retrouvé à errer dans les rues de San Francisco, avec pour mission de susciter un questionnement similaire dans l'esprit des passants.

Si les clochards de San Francisco se posent de telles questions, pourquoi les scientifiques ne s'en poseraient-ils pas ? La pratique et l'enseignement des sciences naturelles et humaines dans nos universités ne poussent guère à explorer des interrogations fondamentales de ce type. L'approche moderne des sciences promeut l'analyse, c'est-à-dire la division d'une réalité complexe en ses multiples composantes et la compréhension du fonctionnement de chaque composante isolée de son contexte. Cette approche réductionniste a dominé la pratique scientifique au XXe siècle. La synthèse – qui consiste à remettre les pièces ensemble afin de répondre à un problème de société et de discerner un sens, et qui constituait une part importante de la science du XIXe siècle – n'est plus l'objet d'une attention systématique.

Cette activité est le plus souvent reléguée au seul fait de quelques esprits poètes qui se préoccupent encore de l'essentiel.

Ce livre cherche à répondre à une question fondamentale : devons-nous être pessimistes ou optimistes quant à l'avenir de notre planète, donc de l'humanité ?

Je suis né dans les années soixante, l'année où la biologiste américaine Rachel Carson a dénoncé l'utilisation inconsidérée des pesticides et révélé l'impact que des substances telles que le DDT avaient sur l'environnement, en particulier sur les oiseaux. Ce que j'ai lu et appris sur les bancs de l'université, par la suite, poussait les gens de ma génération vers les rangs des pessimistes et nous incitait à nourrir de grandes inquiétudes quant à l'avenir de la planète. Pourtant, j'ai choisi d'avoir des enfants, d'enseigner à l'université et de travailler dans la recherche sur l'environnement, signes incontestables que l'optimisme l'emportait chez moi. Comment ai-je vécu cette apparente contradiction ?

J'ai écrit cet ouvrage alors que je me trouvais pour un an en tant que *fellow* au *Center for Advanced Study in the Behavioral Sciences* à Stanford, aux États-Unis. Ce séjour, récent, s'est déroulé pendant le mandat de George W. Bush, qui a systématiquement affaibli les politiques nationales et internationales de protection de l'environnement. Mais à l'université de Stanford, je me suis trouvé plongé dans un bouillonnement d'idées nouvelles, lesquelles ouvrent la voie à des innovations institutionnelles et technologiques qui permettraient de renverser les tendances environnementales actuelles – à condition qu'elles rencontrent une volonté politique. Plus que jamais, je me suis donc trouvé écartelé entre le pessimisme sombre et l'optimisme jubilatoire.

J'ai tenté de réconcilier ces extrêmes, en rassemblant ici les développements récents dans les nombreuses sciences qui touchent aux interactions entre l'activité humaine et l'environnement naturel. Les pages qui suivent offrent une synthèse des idées qui circulent depuis peu dans les milieux scientifiques. J'espère que ce livre aidera le lecteur à trouver sa propre voie entre le pessimisme et l'optimisme.

Éric Lambin

Cet ouvrage doit beaucoup, notamment, aux travaux de l'*International Geosphere-Biosphere Programme* et de l'*International Human Dimensions Programme on Global Environmental Change*, de Gretchen Daily, Carl Folke, Arnulf Grübler, Paul Hawken, Amory et L. Hunter Lovins, Alexander Mather, J.-R. McNeill et Charles Redman. Il doit également à la fondation William and Flora Hewlett pour son support financier, à Philippe Mayaux pour ses commentaires sur le manuscrit, à Sophie Le Callennec pour son travail sur le texte.

Introduction

Observez le funambule sur son fil : toujours en mouvement, à la recherche de l'équilibre qu'il n'atteint jamais ; il corrige chaque déséquilibre par une nouvelle position instable ; seul le mouvement en avant lui permet de demeurer sur le fil et d'éviter la chute. Il adapte ses mouvements de manière permanente, subtile et instantanée. Il porte son attention sur chaque indice et réagit rapidement, par des ajustements proportionnés.

Ainsi fonctionne la planète Terre : en constante évolution, toujours éloignée de l'équilibre et s'adaptant par des mécanismes subtils à la configuration du moment pour assurer sa viabilité. Les grands cycles climatiques, l'évolution biologique et les changements naturels des paysages font partie de ces mouvements de balancier qui maintiennent la Terre sur son fil.

Imaginons que notre funambule porte maintenant sur son épaule un petit singe remuant, qui s'agite en tous sens sans conscience de la difficulté de la tâche pour celui qui le porte. Tant que le singe reste léger et effectue de petits mouvements, le funambule corrige facilement cette source supplémentaire d'instabilité. Mais au cours du XXe siècle, ce singe a grandi, au point d'atteindre un poids comparable à celui du funambule. Il a acquis la capacité d'effectuer des mouvements brusques, très déstabilisateurs, et a augmenté son impact sur la composition chimique de l'atmosphère, le couvert végétal, la structure des paysages et l'abondance relative des espèces animales et végétales, au point que l'activité humaine pèse aujourd'hui autant que les forces naturelles.

Si le singe continue à s'agiter comme s'il se trouvait sur la terre ferme, la chute du funambule – et celle du singe – est inévitable. On assistera à une crise environnementale de grande ampleur dont les conséquences pour l'humanité sont imprévisibles. Si, en revanche, le singe apprend à coordonner ses mouvements avec ceux du funambule, l'aidant même dans sa tâche d'anticipation et de correction des déséquilibres successifs, la paire qu'il forme avec son hôte progressera sur le fil. L'avenir du funambule et de son compagnon dépend donc du degré d'intelligence du singe !

Quels sont les enjeux ?

Depuis l'origine, l'homme est influencé par son environnement naturel et agit sur lui. L'évolution biologique qui a conduit à l'*Homo sapiens* est le résultat d'adaptations successives à des conditions environnementales souvent difficiles. Le développement des premières formes d'organisation sociale et la maîtrise des premiers outils ont également été une réponse aux défis posés par l'environnement à nos ancêtres. Enfin, la colonisation de la planète par l'espèce humaine n'a été possible qu'au prix de multiples adaptations à des conditions climatiques et à des ressources différentes au cours du temps et d'une région à l'autre.

La découverte par l'homme de sa capacité d'adaptation à la nature mais aussi de sa capacité à transformer la nature représente une étape importante dans l'histoire humaine. Le feu a été le premier outil utilisé pour modifier à grande échelle le couvert végétal. La domestication progressive d'espèces animales et végétales a facilité l'approvisionnement en nourriture. L'irrigation et le drainage ont permis le contrôle de l'apport en eau et favorisé l'affranchissement des aléas climatiques.

Tôt dans l'histoire humaine, ce nouveau pouvoir de l'homme s'est avéré à double tranchant. L'extinction de nombreuses espèces de grands mammifères en Amérique du Nord, il y a dix à douze mille ans, aurait été en partie (les changements climatiques de la fin de la dernière glaciation auraient contribué à cette extinction) causée par une chasse excessive, lors de la première colonisation humaine du Nouveau Monde. De même, certaines civilisations ont profondément dégradé les sols qu'elles cultivaient, soit parce qu'elles ont irrigué à l'excès, entraînant la formation d'une couche de sel qui a stérilisé le sol (ce fut le cas en Mésopotamie, entre 2400 et 1700 avant Jésus-Christ), soit parce qu'elles ont collecté de manière excessive le bois pour la construction ou la cuisson, entraînant une dégradation du couvert végétal donc l'érosion des sols (ce fut le cas dans la vallée de l'Indus vers 1800 avant Jésus-Christ, sur les plateaux de lœss en Chine, en Éthiopie vers 1000 après Jésus-Christ, en Grèce vers 600 avant Jésus-Christ puis en Italie quelques siècles plus tard, ainsi qu'au sud-ouest de l'Amérique du Nord, sur les territoires des sociétés Anasazi, de 600 à 900 après Jésus-Christ, et Hohokam, jusque 1400 après Jésus-Christ).

Certaines civilisations ont su éviter la dégradation de l'environnement, comme en témoigne l'extraordinaire longévité – près de cinq mille ans – de la civilisation égyptienne, dont l'agriculture était adaptée aux conditions écologiques qui règnent le long du Nil : les Égyptiens sont parvenus à maintenir l'équilibre entre une adaptation aux crues et décrues saisonnières du fleuve, et une transformation raisonnable de l'apport des eaux du Nil dans les parcelles cultivées.

L'enjeu aujourd'hui, pour l'humanité, est de savoir si l'homme va pouvoir continuer à améliorer sa qualité de vie tout en maintenant cet équilibre subtil entre les activités humaines et le monde naturel. Les données récentes des sciences de la nature et des sciences humaines, doublées d'une observation attentive des évolutions contemporaines, devraient nous fournir une réponse rigoureuse à la question de savoir si nous devons être pessimistes ou optimistes quant à l'avenir de notre planète, donc celui de l'humanité, une réponse loin de toute idéologie, de tout pari aveugle, de toute angoisse existentielle et de tout regret d'une beauté originelle perdue. L'approche doit d'être pluridisciplinaire et ouverte aux arguments de tous, car la réponse est certainement nuancée.

Que disent les optimistes ?

Les optimistes sont convaincus que le progrès technologique permettra, de manière indéfinie, de faire face aux défis écologiques qui se présentent à l'humanité. Ils fondent leur conviction sur l'extraordinaire succès de la technologie développée au cours du XXe siècle, dont personne n'aurait pu prévoir, il y a quelques siècles, l'impact bénéfique sur le mode de vie et sur le bien-être de l'humanité. Ils n'entretiennent aucun doute sur le fait que ce progrès se poursuivra dans les siècles à venir et que la maîtrise de la nature par l'humanité s'amplifiera de manière continue. Pour eux, l'humanité finira par s'affranchir des contraintes naturelles. Les optimistes sont convaincus, par exemple, que la recherche en biotechnologie menée par de grandes entreprises privées résoudra tous les problèmes alimentaires. Ils prédisent que, grâce à de nouvelles technologies de production, la demande en terres agricoles diminuera et la superficie forestière augmentera au cours du XXIe siècle. L'homme moderne améliore l'environnement terrestre tout en augmentant son niveau de vie, disent-ils. Ils ne craignent pas de catastrophe imprévisible, car ils conçoivent la Terre comme un système robuste, au sein duquel les évolutions sont progressives, linéaires et sans discontinuité majeure.

Les optimistes pensent aussi que tout changement est réversible. Si l'humanité s'embarque dans une voie sans issue, il lui suffira de revenir en arrière et d'explorer d'autres trajectoires de développement. Sous-jacente à la vision des optimistes réside cette conviction que l'humanité a le pouvoir, sinon le devoir, de dominer la nature, qui n'est qu'un tremplin pour un développement humain vers des niveaux plus élevés de civilisation. Les ressources naturelles sont mises à notre disposition, sans contrainte, obligation ou condition.

Les optimistes ont foi dans les mécanismes du marché, dont le pouvoir autorégulateur corrigerait les déséquilibres lorsqu'ils surviennent et générerait l'utilisation la plus efficace possible des ressources. Chacun peut défendre son intérêt personnel car la compétition pour des ressources rares dans le cadre de marchés entraîne une convergence entre le bien individuel et le bien commun – y compris pour les générations futures. Car, lorsqu'une ressource se raréfie, son prix augmente, ce qui incite les utilisateurs à rechercher des substituts avant que cette ressource ne soit irrémédiablement épuisée ou dégradée. Les optimistes sont convaincus que les progrès dans le domaine environnemental sont spontanés et ne résultent pas d'une gouvernance de la planète. Ils perçoivent les interventions gouvernementales comme sources d'interférences avec le bon fonctionnement des marchés. Par ailleurs, si de nouvelles technologies posent des risques pour la santé ou l'environnement, ces risques sont probablement moins élevés que ceux que cette nouvelle technologie permet d'éviter.

Les optimistes rappellent aux pessimistes que la population mondiale d'aujourd'hui dépasse largement les prédictions alarmistes des cent cinquante dernières années, et que les famines imminentes annoncées jusque dans les années soixante-dix n'ont pas été suivies d'effet : entre 1960 et 1995, la production alimentaire mondiale a presque doublé (197 %) pendant que la population mondiale augmentait de 188 %. Et si des famines persistent, les responsables en sont essentiellement les guerres civiles et la gestion désastreuse de certaines régions du monde. Les optimistes trouvent la confirmation de leur vision dans la diminution continue, depuis un siècle, du coût d'extraction et du prix sur le marché de nombreuses ressources naturelles, preuve que ces ressources seraient de plus en plus abondantes.

La vision des optimistes a porté le formidable développement technologique et économique qui s'est propagé du monde occidental vers le reste de la planète au XXe siècle. Le moyen le plus sûr de protéger l'environnement à l'avenir est donc, pour eux, de promouvoir une croissance économique rapide en libéralisant toujours plus les marchés et en diminuant l'intervention de l'État dans la gestion des ressources naturelles. Certains prônent même la privatisation des ressources naturelles comme l'eau et la faune sauvage : l'appropriation privée de ces biens environnementaux les intégrerait au marché et révélerait leur valeur ; si cette valeur est élevée, le marché réagira pour préserver ces biens et pour développer des produits de substitution. Les optimistes répètent que chaque génération commet l'erreur de sous-estimer le nombre d'idées nouvelles encore à trouver.

Le premier grand optimiste était un Français de la fin du XVIIIe siècle, le marquis de Condorcet. Il avait la ferme conviction en la perfectibilité de la nature humaine. Armé de l'esprit de l'époque des Lumières, il croyait en la capacité de l'esprit humain à surmonter tous les obstacles qui s'érigeaient devant le progrès humain.

Que disent les pessimistes ?

Les pessimistes ont la conviction qu'il existe des limites inhérentes au progrès technologique, lequel ne peut se poursuivre indéfiniment au même rythme et n'affranchira jamais l'humanité de sa dépendance vis-à-vis des ressources naturelles. Pour eux, il convient donc de préserver la capacité de la nature à générer des biens et des services indispensables pour le développement humain. Ils affirment en outre que le développement technologique obéit à la loi des rendements décroissants : découvrir de nouvelles technologies permettant d'augmenter considérablement les ressources naturelles disponibles pour l'homme est de plus en plus difficile, et chaque découverte coûte plus cher, pour un gain de productivité de plus en plus faible.

Les pessimistes sont plus attentifs à l'évolution des ressources naturelles qu'à celle des quantités produites à partir de ces ressources. Alors que les optimistes voient dans l'augmentation continue de l'exploitation de ressources naturelles la preuve que ces ressources sont de plus en plus abondantes et de moins en moins coûteuses, les pessimistes pensent qu'une augmentation du taux d'extraction rapproche l'humanité du moment où ces stocks seront épuisés, en ce qui concerne les ressources non renouvelables (comme le pétrole), mais aussi les ressources renouvelables, dans le cas d'un taux d'exploitation supérieur au taux de régénération naturelle de la ressource.

Pour les pessimistes, la nature est régie par des systèmes complexes, et il n'y a aucune raison de penser que l'évolution de l'environnement naturel suivra une trajectoire progressive et continue. Ils pensent au contraire que des surprises aux effets potentiellement catastrophiques ne sont pas à exclure. Pour les pessimistes, l'amincissement saisonnier de la couche d'ozone au-dessus de l'Antarctique est un bon exemple. Si des produits comme les bromofluorocarbones avaient été utilisés – au lieu des chlorofluorocarbones – comme gaz réfrigérants par l'industrie à partir des années trente, la santé humaine aurait payé un lourd tribut. En effet, le brome a un pouvoir destructeur de l'ozone de la stratosphère cent fois supérieur à celui du chlore. L'humanité a donc échappé – par hasard, car cette propriété était inconnue au moment où les choix industriels ont été posés – à une catastrophe écologique majeure : selon le prix Nobel de chimie Paul Crutzen, l'usage des bromofluorocarbones aurait entraîné une baisse de la concentration en ozone stratosphérique – qui filtre les dangereux rayons ultraviolets du soleil – non pas saisonnière et au-dessus d'une partie inhabitée de la planète (l'Antarctique) mais permanente et mondiale, avec tout ce que cela impliquerait en termes de cancers de la peau et de cataractes. Les sociétés modernes auront-elles autant de chance la prochaine fois ?

Pour les pessimistes, certains changements causés par l'homme aux systèmes naturels sont irréversibles. L'humanité ne peut pas se permettre de mener des expériences avec la planète Terre, car il n'y en a qu'une. Une mauvaise gestion de la nature peut dégrader profondément la capacité du monde naturel à fournir les services essentiels au bien-être de l'humanité. Qu'arriverait-il, par exemple, si une utilisation excessive de pesticides diminuait les populations d'insectes au point de ne plus permettre la pollinisation naturelle des cultures et des arbres fruitiers ? Certes, dans la région de Maoxian en Chine, les paysans pollinisent à la main chaque fleur de leurs pommiers : mais quel coût en main-d'œuvre ! Les pessimistes promeuvent donc le principe de précaution, selon lequel il convient de ne prendre aucun risque d'impact négatif sur la santé ou sur l'environnement, même si les relations de cause à effet ne sont pas scientifiquement établies.

Selon les pessimistes, le progrès ne consiste pas en l'expansion économique et l'évolution technologique, mais plutôt en un développement social. L'humanité doit donc instaurer une coopération entre les individus pour maximiser le bien-être de la communauté, et mettre la technologie au service de son développement, non l'inverse. Elle devrait s'attacher à promouvoir les innovations favorisant le développement sans dégrader l'environnement naturel, et réguler les mécanismes du marché pour que le bien commun à long terme soit assuré.

Les pessimistes fondent notamment leurs convictions sur l'effondrement de civilisations anciennes qui ont dégradé leurs ressources naturelles jusqu'à un seuil irréversible, sans que personne, dans ces sociétés – aux connaissances souvent avancées – n'ait perçu l'ampleur du danger.

Le premier grand pessimiste fut le révérend Thomas Malthus qui, dès la fin du XVIIIe siècle, prédisait que des famines, des maladies et des guerres surviendraient suite à l'augmentation de la population humaine, plus rapide que celle de la production alimentaire. Les pessimistes sont convaincus que, si les désastres écologiques prévus au cours des derniers siècles ne se sont pas produits, c'est grâce à leurs cris d'alarme et au progrès de la science environnementale, qui a entraîné une meilleure gouvernance des ressources naturelles. La justesse de leurs prédictions doit donc se mesurer à la capacité de la société à éviter qu'elles se réalisent.

Mais alors, qui a raison ?

Alors, doit-on écouter Cassandre ou souscrire au mythe de la corne d'abondance ? Faut-il suivre les disciples contemporains de Malthus ou ceux de Condorcet ? Le débat environnemental actuel porte sur trois problématiques distinctes : l'ampleur des changements environnementaux qu'a subis la planète Terre, les causes de ces changements, et l'évaluation de la vulnérabilité des sociétés humaines face à ces changements.

La première question est un problème de mesure, qui nécessite que des données objectives soient rassemblées sur les changements physiques, biologiques et chimiques. Des progrès considérables ont été accomplis dans ce domaine et, bien que des incertitudes persistent sur l'ampleur exacte de certains changements – comme la désertification –, seule une analyse biaisée et de mauvaise foi amènerait à nier l'existence de changements environnementaux majeurs, depuis trois cents ans.

La deuxième question est un problème d'attribution des changements observés à des facteurs humains, naturels ou à une combinaison des deux. L'attribution de la plupart des changements environnementaux récents – de manière partielle, tout au moins – à l'activité humaine ne fait plus aucun doute. Cependant, les mécanismes précis qui conduisent une société à dégrader ou améliorer son environnement sont parfois mal élucidés et quelques notions simplistes persistent en la matière.

La troisième question – qui concerne la vulnérabilité des sociétés humaines face aux changements environnementaux –, plus complexe encore que les deux précédentes, fait appel à des représentations du monde fondées sur de nombreuses hypothèses et influencées par l'appréciation subjective de la place de l'homme dans le monde. Ceci explique que le débat scientifique a récemment pris de l'ampleur dans la société. Des positions antagonistes s'affrontent à coups de thèses parfois extrémistes, souvent fondées sur une idéologie et rarement étayées par des données scientifiques fiables. De nombreuses informations utilisées dans le débat environnemental sont anecdotiques, peu représentatives d'une situation mondiale et ne couvrent pas des périodes de temps suffisamment longues. Pourtant, des données objectives existent. Par exemple, depuis le début des années soixante-dix, les satellites d'observation fournissent des données sur l'état de la végétation, des sols, des zones côtières, de l'atmosphère, des océans et des glaciers qui, croisées avec d'autres données, permettent de détecter les tendances environnementales spécifiques à chaque zone géographique.

Le débat doit cependant dépasser la simple discussion sur les tendances environnementales récentes pour s'élargir à une analyse des implications de ces changements pour l'avenir de l'humanité. Dans ce débat, qui concerne la possibilité pour l'humanité de poursuivre son mode de développement actuel, les acteurs défendent des points de vue radicalement opposés selon la place qu'ils occupent dans la société, selon qu'ils se sentent gagnants ou perdants, selon que les enjeux majeurs sont, pour eux, à court terme ou à long terme. Il n'est guère surprenant, par exemple, que les représentants de l'industrie pétrolière n'aient pas le même point de vue sur le réchauffement global – causé en partie par les émissions de dioxyde de carbone que leurs activités engendrent – qu'un habitant d'une île du Pacifique qui pourrait voir son île submergée par les eaux suite à une montée du niveau des océans. De même, le chef d'entreprise ou le dirigeant politique, qui gère des impératifs économiques et sociaux à court terme, a une perception différente de celle des membres de la société civile qui se sont investis dans la défense de certaines espèces animales menacées, des cultures indigènes ou des générations futures.

Dans les pages qui suivent, je vais tenter d'apporter un éclairage serein et des éléments objectifs à ce débat. Un premier chapitre propose une synthèse des données qui peuvent difficilement être mises en doute sur l'impact de l'activité humaine sur l'environnement planétaire au cours de la période historique récente. Le chapitre II passe en revue la manière dont les interactions entre l'activité humaine et l'environnement naturel ont été représentées dans l'histoire de la pensée scientifique occidentale. Le chapitre III présente quelques modèles simples permettant d'identifier les facteurs clefs qui gouvernent l'impact environnemental des sociétés humaines. Le chapitre IV dépasse la simplicité un peu irréaliste de ces modèles et analyse les causes profondes des changements environnementaux causés par l'homme. Le chapitre V met en regard deux situations historiques contrastées : celles d'une société ancienne qui s'est effondrée pour avoir causé la dégradation de son environnement (les Mayas de l'époque classique) et celle de sociétés qui ont réussi à améliorer leur environnement naturel après avoir emprunté une trajectoire de dégradation rapide de l'environnement (certains pays d'Europe aux XVIIIe et XIXe siècles). Le chapitre VI illustre, à partir du cas de la désertification au Sahel, l'importance de bien comprendre et mesurer dans toute leur complexité les changements environnementaux. Le chapitre VII passe en revue les évolutions contemporaines sur les plans technologique, institutionnel et culturel des sociétés occidentales, évolutions qui suggèrent qu'un renversement des tendances environnementales actuelles est possible. La conclusion présentera le mode de développement qui me semble nécessaire pour éviter qu'une crise écologique majeure se produise, et des recommandations pour l'action quotidienne.

Une bonne et une mauvaise nouvelle

Cet ouvrage est porteur d'une bonne et d'une mauvaise nouvelle. La mauvaise nouvelle est que l'humanité a transformé la planète Terre au point de menacer la production, par la nature, de biens et services essentiels pour l'humanité : fertilité des sols et contrôle de l'érosion, eau potable, air de qualité, diversité des ressources génétiques à la base du développement de produits pharmaceutiques et agricoles, fourniture de nourriture (poissons, gibier) et de combustibles, régulation des inondations et du climat, services « culturels » dont les sociétés humaines bénéficient pour leur vie spirituelle, esthétique et symbolique... Au point que les réponses de l'environnement naturel à une escalade des pressions exercées par l'homme deviennent imprévisibles : l'humanité n'est pas à l'abri de mauvaises surprises environnementales. Les pessimistes ont raison : l'humanité suit aujourd'hui une trajectoire de développement qui n'est pas durable.

La bonne nouvelle est que, tout au long de son histoire, l'humanité a fait preuve d'une grande capacité d'adaptation aux changements de son environnement. Par sa créativité, l'homme innove, ajuste ses technologies, ses institutions et son attitude face à la nature, et soulage ainsi la pression sur l'environnement. Les optimistes ont donc, eux aussi, raison : des innovations permettent d'éviter que les changements de l'environnement naturel menacent l'avenir de l'humanité.

Mais les innovations nécessaires à un rééquilibrage entre l'activité humaine et les processus naturels ne se produisent pas de manière spontanée, et leur mise en œuvre requiert une rénovation de l'organisation sociale et économique des sociétés. Une telle mutation prend plusieurs décennies.

Dans le passé, l'ajustement des sociétés humaines ne s'est produit que lorsque l'homme ne percevait plus d'alternative. Aujourd'hui, vu l'ampleur mondiale des changements environnementaux, l'inertie des systèmes naturels et sociaux et la complexité croissante des économies, l'ajustement de l'activité humaine doit se faire de manière anticipée. Une large prise de conscience des risques et une réaction rapide par des politiques appropriées sont indispensables pour retrouver une trajectoire de développement durable. Nous ne pouvons donc être optimistes à long terme qu'à la condition que le pessimisme contribue, à court terme, à changer le monde d'aujourd'hui.

Chapitre 1

L'accélération des changements de la planète

« Sans le saule, comment
connaître la beauté du vent ? »
Lao She

Nos sociétés modernes sont confrontées à la recherche d'un équilibre entre adaptation à une nature certes généreuse mais au fonctionnement complexe, et transformation de celle-ci pour augmenter sa contribution en biens et services fournis à l'humanité. Depuis un peu plus de deux siècles, nos rapports avec la nature se sont profondément modifiés en quantité et en qualité : l'échelle, l'intensité et le taux de transformation de la nature par l'homme ont augmenté de plusieurs ordres de grandeur depuis le début de la révolution industrielle. Cette transformation s'est encore considérablement accélérée au XXe siècle. L'impact humain sur la nature a atteint un point tel que nous vivons aujourd'hui sur une planète dominée par l'empreinte humaine, où peu de processus naturels échappent à l'influence de l'homme.

Dès 1873, le géologue italien Antonio Stoppani parlait de l'activité humaine comme d'une « nouvelle force tellurique qui, par sa puissance et son caractère universel, peut être comparée aux plus grandes forces de la Terre ». Le prix Nobel de chimie, Paul Crutzen, a déclaré en 2002 que la Terre était entrée dans une nouvelle ère géologique, l'Anthropocène, caractérisée par l'impact croissant de l'activité humaine sur le système terrestre. La période géologique précédente, l'Holocène, se serait terminée à la fin du XVIIIe siècle, avec le début d'une augmentation de la concentration mondiale de dioxyde de carbone et de méthane dans l'atmosphère suite à l'activité industrielle. La transition vers l'Anthropocène coïncide avec le perfectionnement de la machine à vapeur par James Watt, en 1784.

Des changements environnementaux de natures diverses

Il n'y a pas un problème de l'environnement, mais de multiples problèmes qui se produisent à des échelles spatiales et de temps différentes, qui ont des causes diverses, affectent différents acteurs de la société, et dont la nature physique est variée. Les problèmes environnementaux majeurs peuvent êtres classés en cinq catégories, liées entre elles :

1. Une dégradation des ressources en terres, qui affecte l'environnement en tant que facteur de production. Cette catégorie inclut l'érosion des sols et la désertification : la dégradation des terres a un impact majeur sur le potentiel agricole, nécessaire pour nourrir l'humanité.

2. L'utilisation de l'environnement comme « dépotoir », qu'il s'agisse des déchets solides dans des décharges, d'effluents liquides dans les rivières et les nappes aquifères, ou d'émissions de gaz toxiques dans l'atmosphère.

3. Les problèmes liés à la gestion des ressources planétaires qui sont communes à l'ensemble de

l'humanité et qui ne font pas l'objet d'une appropriation par des entités privées ou par des nations. Rentrent dans cette catégorie la gestion des océans et la contribution de l'homme aux changements climatiques.

4. La dégradation de la nature, en particulier de ses ressources biologiques et génétiques. La crise de la biodiversité est la problématique centrale de cette catégorie. La modification des qualités esthétiques des paysages appartient également à cette famille.

5. L'exploitation de ressources non renouvelables, qu'il s'agisse de gisements de minéraux ou de combustibles fossiles. Le problème ici est, notamment, celui de l'équité vis-à-vis des générations futures et d'une hypothèque sur l'avenir, puisque le développement est fondé sur un épuisement du capital plutôt que sur l'utilisation des revenus de ce capital.

Ces catégories se chevauchent largement : un changement dans la composition de l'atmosphère à l'échelle mondiale suite à la pollution causée par la combustion d'énergies fossiles modifie le climat donc la productivité des terres. Les changements climatiques combinés à la pollution et au remplacement de la végétation naturelle par de l'agriculture ou des infrastructures humaines diminuent la diversité biologique.

Certains changements environnementaux deviennent un problème d'ampleur mondiale par leur caractère systémique : les changements affectent un système qui fonctionne à l'échelle mondiale. Par exemple, la pollution atmosphérique dans les régions industrielles renforce l'effet de serre et modifie le système climatique mondial. La plupart des changements environnementaux posent des problèmes de manière cumulative : de petits changements répétés en de nombreux endroits conduisent à une crise mondiale. Par exemple, l'extinction de populations animales dans une région du monde serait un moindre problème si ces espèces n'étaient pas en voie d'extinction partout où elles sont présentes, leur perte devenant ainsi irréversible.

Dans d'autres cas, un changement environnemental local devient un problème mondial du simple fait de son ampleur. L'explosion d'un réacteur de la centrale de Tchernobyl en Ukraine en 1986 a, non seulement, affecté une large région d'Europe par le nuage radioactif qu'il a généré, mais également mis en évidence la vulnérabilité de l'humanité face à une technologie dont la perte de contrôle est lourde de conséquences, même s'il s'agit d'événements à très faible probabilité.

La distinction entre les problèmes environnementaux causés par l'activité humaine, comme la pollution ou la déforestation, et les catastrophes naturelles qui affectent les sociétés humaines, comme les tremblements de terre, les sécheresses ou les inondations, devient floue. D'une part, certaines catastrophes « naturelles » ont pour cause indirecte l'activité humaine : les changements climatiques provoqués par la pollution atmosphérique augmentent la fréquence de certains événements climatiques extrêmes, comme les sécheresses, les tornades et les inondations ; une modification du couvert végétal par l'homme rend les incendies de forêts plus fréquents et plus destructeurs. D'autre part, des évolutions démographiques et sociales conduisent une fraction toujours plus élevée de la population mondiale à habiter des zones susceptibles d'être affectées par des catastrophes naturelles : quarante parmi les cinquante villes ayant le taux de croissance le plus élevé au monde sont localisées dans des zones à risque élevé de tremblement de terre (Mexico City, Istanbul, Djakarta…) ; au Bangladesh, des familles pauvres, faute d'alternative, occupent dans le delta du Gange et du Brahmapoutre des terres sévèrement inondées tous les cinq à dix ans. La vulnérabilité de ces populations – souvent les plus pauvres – face à des accidents naturels s'accroît donc du fait de facteurs humains.

Variabilité naturelle ou impact humain ?

En elle-même, la planète Terre est loin d'être un système stable, statique et à l'équilibre. Les plaques tectoniques se déplacent. Les montagnes s'élèvent de quelques millimètres par an. Des éruptions volcaniques modifient le paysage et altèrent la composition de la stratosphère en y projetant de grandes quantités de poussières. Des variations de l'orbite de la Terre autour du Soleil provoquent les cycles glaciaires et interglaciaires à l'échelle de quelques dizaines de milliers d'années, avec une amplitude de température de plusieurs degrés. Le climat varie également à l'échelle du millier d'années, avec des changements de température plus rapides mais d'amplitude plus faible. Au sein des périodes interglaciaires, comme celle que nous traversons, les variations climatiques naturelles à l'échelle du siècle ou de la décennie sont communes. Chaque région du globe répond de manière particulière à ces variations climatiques : le « petit âge glaciaire » qui a refroidi l'Europe entre 1300 et 1850 en est une illustration. Des cycles climatiques plus courts encore, comme celui associé à l'oscillation australe El Niño dans l'océan Pacifique, modifient périodiquement les températures et les précipitations. L'activité solaire varie, par ailleurs, selon plusieurs cycles, dont l'un d'une périodicité de onze années environ.

Les glaciers avancent et reculent au gré de ces fluctuations climatiques, creusant de profondes vallées. Les sols se forment et s'érodent sous l'action de la pluie, du vent et des cours d'eau. Le matériel érodé est charrié sur de longues distances par des rivières et des fleuves et se sédimente dans les plaines. Les paysages sont donc constamment remodelés. Les formations végétales passent par divers stades et les successions végétales sont régulièrement interrompues par des perturbations naturelles : incendies provoqués par la foudre, invasions d'espèces nuisibles, tornades, glissements de terrain…

À l'échelle du million d'années, les espèces végétales et animales se différencient et évoluent par recombinaison sexuelle ou par mutation génétique, et sont soumises à une sélection naturelle fondée sur le succès dans leur reproduction. Le taux d'expansion de la diversité biologique a fortement varié au cours de l'histoire du monde vivant. Cinq périodes d'extinction massive des espèces biologiques ont été enregistrées, toutes à la suite de causes naturelles (glaciations, impact d'astéroïdes ou de comètes, éruptions volcaniques explosives). Par exemple, il y a 250 millions d'années, une vague massive d'extinction biologique a éliminé, sur une période de 8 000 à 500 000 ans, 90 % des espèces marines, près de 70 % des vertébrés terrestres et la plupart des plantes terrestres.

Le défi scientifique qui s'est posé durant les dernières décennies, à propos de l'impact humain sur l'environnement, a été de séparer l'influence humaine de la variabilité naturelle : détecter la signature humaine parmi un bruit de fond naturel élevé s'est révélé difficile. De nos jours, la science est mieux à même d'isoler l'impact humain des changements environnementaux, pour trois raisons. D'une part, la qualité et la quantité des données sur l'environnement ont considérablement augmenté, grâce aux progrès techniques. D'autre part, des avancées méthodologiques permettent de mieux reconstruire l'évolution passée de l'environnement, notamment pendant la période précédant celle où l'homme a acquis une influence significative sur la nature (l'analyse des carottes de glace prélevées dans les zones polaires a contribué à ces avancées).

Ces nouvelles données ont permis de valider et calibrer des modèles qui restituent l'état de l'environnement planétaire dans le passé. Enfin, l'activité humaine a transformé de manière tellement profonde le système terrestre au XXe siècle que nombre de paramètres environnementaux s'approchent aujourd'hui de valeurs jamais atteintes auparavant. Cette sortie du système terrestre hors du domaine de son comportement naturel facilite la détection de l'influence humaine dans la transformation de la planète.

La seconde moitié du XXe siècle est unique dans l'histoire de l'humanité et de la planète par la vitesse à laquelle l'activité humaine a modifié l'environnement. Les dernières cinquante années ont, sans aucun doute possible, été celles où le monde naturel a été transformé de la manière la plus rapide et à l'échelle la plus vaste dans toute l'histoire humaine.

Voici quelques données factuelles sur les changements environnementaux que la planète a subis au cours de l'histoire récente : elles sont indépendantes de tout jugement de valeur et font l'objet d'un large consensus scientifique, même si une petite minorité de scientifiques proposent des interprétations différentes.

La fin des terres « sauvages »

Depuis que les hommes contrôlent le feu et ont domestiqué des plantes et des animaux, ils ont déboisé les forêts pour en exploiter les terres. La moitié des terres émergées (à l'exception de celles couvertes par les glaces) ont été converties ou modifiées de manière significative au cours des derniers dix mille ans. Aujourd'hui, les terres à l'état « sauvage », à peine perturbées par l'homme, ne représentent que 46 % des terres émergées. Dans toutes les régions du monde, l'agriculture a remplacé la végétation naturelle pour répondre aux besoins croissants en nourriture et en matières premières agricoles de la population mondiale. Même les régions encore à l'état sauvage subissent les effets indirects de l'activité humaine via l'émission de substances dans l'atmosphère par l'industrie ou l'agriculture intensive. À l'échelle mondiale, 15 % des zones humides et des marécages ont été drainés. De 10 à 50 millions d'hectares de terres ont été gagnés sur les océans suite à des aménagements côtiers. L'activité humaine, en particulier l'agriculture, est responsable de 60 à 80 % de l'érosion des sols.

Les terres cultivées sont passées de 350 millions d'hectares en 1700 à 1 650 millions d'hectares en 1990, à l'échelle mondiale, soit une augmentation de près d'un facteur cinq en trois siècles. Les terres consacrées à l'élevage ont augmenté de 500 millions d'hectares sur la même période. La plus grande concentration en terres agricoles au monde se trouve en Europe de l'Est, où plus de la moitié des terres sont cultivées. Au XXe siècle, la superficie cultivée a augmenté de 50 % à l'échelle mondiale, principalement dans les régions tropicales. Peu de terres sont encore disponibles pour une expansion agricole dans les pays en voie de développement, où les besoins en nourriture croissent maintenant, parce qu'elles sont couvertes de forêts tropicales ou ont des sols pauvres à faible potentiel agricole. En Europe de l'Ouest et au nord-est des États-Unis, en revanche, la superficie cultivée a diminué au cours des dernières décennies, suite à l'abandon de l'agriculture dans des régions marginales : 222 millions d'hectares de terres ont ainsi été libérés dans le monde depuis 1900.

Plus récemment, alors que la production alimentaire mondiale a quasiment doublé entre 1961 et 1996, la superficie cultivée n'a augmenté que de 10 %. En revanche, les terres irriguées, grandes consommatrices en eau, ont augmenté de 70 %, pour atteindre un total de 271 millions d'hectares en 2000. Les deux tiers de l'agriculture irriguée se situent en Asie. Plus de 10 % de ces terres irriguées sont affectés par la salinisation, c'est-à-dire une augmentation de la concentration en sel du sol suite à une mauvaise gestion de l'irrigation, dont l'effet est de diminuer le rendement des cultures. À l'échelle mondiale, l'utilisation d'engrais à base d'azote et de phosphates a augmenté respectivement d'un facteur sept et d'un facteur 3,5 entre 1961 et 1996. De nos jours, l'agriculture intensive utilise plus d'engrais azotés que la quantité d'azote naturellement fixée par l'ensemble des écosystèmes terrestres. Cent cinquante millions de tonnes d'engrais chimiques artificiels et trois millions de tonnes de pesticides chimiques étaient utilisés à l'échelle mondiale en 1990. Près de la moitié des engrais chimiques se retrouvent dans les cours d'eau, les lacs et les nappes phréatiques.

La déforestation est définie comme la conversion de forêts vers d'autres formes d'occupation des terres ou la réduction de la densité des arbres en deçà d'un seuil de 10 % de couverture. Les Nations unies estiment que la déforestation des forêts naturelles a été de 16,1 millions d'hectares par an en moyenne dans les années quatre-vingt-dix, soit une perte de 4,2 % en dix ans par rapport à 1990. Ceci équivaut à la disparition d'une superficie de forêts à peu près égale à la superficie de la France tous les trois ans. La forêt naturelle s'est parfois spontanément régénérée sur d'anciennes parcelles déboisées. Des plantations d'arbres ont occupé des terres auparavant non couvertes par des forêts, notamment des terres agricoles abandonnées en Europe occidentale et au nord-est de l'Amérique. Si bien que la diminution nette de forêt à l'échelle mondiale a été de 9,4 millions d'hectares par an entre 1990 et 2000.

Elle est préoccupante dans le cas des forêts tropicales humides, qui sont les plus riches en biodiversité et jouent un rôle important dans le cycle du carbone : le taux net de déforestation des forêts tropicales humides était de 0,43 % par an en moyenne entre 1990 et 1997 (il est dix fois plus élevé dans certaines régions tropicales).

En 2003, les villes abritaient 3 milliards d'habitants, soit près de la moitié de la population mondiale. Partout dans le monde, la population urbaine a augmenté plus rapidement que la population rurale. Le nombre de villes de plus de 10 millions d'habitants

– les « mégavilles », dont la population est égale à celle de la Belgique – est passé d'une en 1950 (New York) à dix-neuf en 2000, la plupart localisées dans les pays en développement. Les grands ensembles urbains se concentrent le long des côtes et des grands fleuves en Inde et en Extrême-Orient, le long de la côte à l'est des États-Unis et en Europe de l'Ouest.

Les surfaces bâties et pavées ne couvrent que 2 % au plus des terres émergées mais occupent 1 à 2 millions d'hectares supplémentaires de terres agricoles à haut potentiel chaque année et ont une empreinte écologique considérable. La pollution atmosphérique émise dans les villes conduit à des concentrations élevées en ozone dans un rayon de plus de cent kilomètres alentour, suite à une réaction chimique provoquée par le rayonnement solaire (or l'ozone à basse altitude ralentit de manière significative la croissance de la végétation). Les habitants des zones urbaines autour de la mer Baltique dépendent des forêts, de l'agriculture, des lacs et du système marin sur une région près de mille fois plus grande que la superficie urbaine proprement dite. La ville de Dakar au Sénégal trouve son eau dans un lac situé à deux cents kilomètres de la ville.

L'eau et ses occupants en danger

La consommation d'eau douce dans le monde était quarante fois plus élevée en 1990 qu'en 1700. Entre 1900 et 1995, la quantité d'eau extraite de la nature est passée de 579 à 3 765 milliards de mètres cubes par an, dont 2 265 milliards de mètres cubes d'eau consommés en 1995, le reste retournant dans la nature, souvent après avoir perdu beaucoup de sa qualité. La quantité d'eau extraite en 2000 varie de

1 932 mètres cubes par habitant par an pour les États-Unis à 675 mètres cubes pour la France, 1 011 mètres cubes pour des pays comme l'Égypte qui dépendent de l'agriculture irriguée et une dizaine de mètres cubes pour les pays d'Afrique centrale.

Une proportion croissante (près des deux tiers selon certaines estimations) des flux d'eaux de surface est interceptée par des barrages et divertie par des digues ou des canaux. Entre 1950 et 2000, le nombre de grands barrages (plus de 15 mètres de haut) est passé de 5 700 à 41 000 dans le monde, affectant 60 % des grands bassins fluviaux. Le barrage d'Assouan en Égypte intercepte 98 % du limon charrié par le Nil et empêche les éléments nutritifs du fleuve de se déverser dans la Méditerranée, ce qui a entraîné une diminution considérable des stocks de sardines et de crevettes au large du delta du Nil.

Au cours du XXe siècle, la consommation en eau douce a augmenté d'un facteur neuf, au point que certains grands fleuves tels que le Nil, le fleuve Jaune et la rivière Colorado n'atteignent plus la mer durant une partie de l'année : en Arizona, l'extraction de l'eau des nappes aquifères pour la consommation humaine est le double du taux de recharge de ces nappes et dans la ville de Dhaka, au Bangladesh, le pompage de l'eau souterraine est tel que le niveau de la nappe phréatique a diminué de 40 mètres en certains endroits (les nouveaux puits produisent trois fois moins d'eau qu'il y a trente ans). À l'échelle mondiale, 60 à 75 % de l'eau douce consommée sert à l'agriculture irriguée. En 2000, plus d'un milliard de personnes n'avaient pas accès à une eau propre pour la consommation et 2,4 milliards de personnes ne bénéficiaient pas de services sanitaires équivalents au standard dans la Rome antique. Dans les pays en voie de développement, 90 % des eaux usées étaient déversées sans traitement dans des rivières en 1997. Cent millions d'urbains des pays pauvres défèquent quotidiennement en plein air, faute de toilettes.

En 2000, la pêche retirait des océans 3 milliards de tonnes de poissons par an, soit trente-cinq fois plus que les prises du début du XXe siècle. Plus du quart de la production biologique des régions les plus poissonneuses des océans est aujourd'hui prélevé par la pêche. En 2000, 47 % des stocks de poissons marins pour lesquels des données étaient disponibles étaient considérés comme exploités au niveau maximum écologiquement durable, 18 % étaient surexploités et 9 % étaient épuisés. La population de baleines bleues a diminué de 99,75 % dans les océans de l'hémisphère Sud entre 1890 et 1990. Les autres espèces de baleines ont été inlassablement exterminées jusqu'en 1986, année où fut signé un moratoire sur la chasse à la baleine.

Une étude systématique de l'impact écologique de la pêche industrielle, publiée en 2003 dans la prestigieuse revue *Nature*, a révélé que les océans ont perdu plus de 90 % des populations de grands poissons (morue, thon, raie, espadon, flétan, carrelet, requin, etc.) par rapport à leurs niveaux préindustriels. Depuis la fin des années quatre-vingt, la quantité de poissons prélevés dans les océans par l'industrie de la pêche a diminué d'environ 500 000 tonnes par an suite à une diminution du nombre de poissons. Les petits poissons, qui constituent le repas des grands poissons, sont de plus en plus souvent pêchés pour la consommation humaine, faute d'alternative.

Une société vorace en énergie et en matériaux

Au XIXe siècle, la consommation énergétique mondiale a augmenté d'un facteur cinq par rapport au siècle précédent, avec le développement de la machine à vapeur et l'utilisation du charbon. Au XXe siècle, cette consommation a encore augmenté d'un facteur seize, avec l'exploitation du pétrole, du gaz naturel puis, de manière plus marginale, l'usage de l'énergie nucléaire. Selon un calcul grossier, la consommation d'énergie sur l'ensemble du XXe siècle a été dix fois plus élevée que celle des mille années précédentes. De nos jours, près de 95 % de l'énergie utilisée à l'échelle mondiale proviennent de combustibles fossiles : pétrole (44 %), gaz naturel (26 %) et charbon (25 %). Les centrales nucléaires contribuent pour 2,4 % à la production énergétique mondiale. Les énergies renouvelables (énergie solaire, éolienne et géothermique, ainsi que les biocarburants) ne représentent que 0,2 % de la production mondiale d'énergie, sans compter les barrages hydroélectriques (2,5 %).

Entre 1950 et 1990, la production mondiale d'acier a quadruplé (773 millions de tonnes par an en 1990) et la production mondiale de papier a augmenté d'un facteur 5,5 (270 millions de tonnes par an en 1990). En 1990, l'économie américaine consommait directement 6 milliards de tonnes de matériaux chaque année, soit 50 kilogrammes de matériaux par jour et par personne en moyenne (230 kilogrammes si l'on ajoute les pertes en matériaux au cours de la production, pour 140 dans l'Union européenne et 123 au Japon).

La planète ensevelie sous les déchets ?

L'activité industrielle génère, au cours de l'extraction, de la transformation et de la distribution de matériaux et de produits, plus de 40 milliards de tonnes de déchets solides par an. Par comparaison, la quantité totale de sédiments et autres matériaux naturels charriés par les cours d'eau ne représente que 10 à 25 milliards de tonnes. La construction de chaque puce informatique semi-conductrice génère 630 fois son poids de déchets.

La quantité moyenne de déchets solides et liquides produits par an par habitant est de 0,3 tonne dans plusieurs pays européens et de 0,7 tonne aux États-Unis. Une proportion élevée de ces déchets est considérée comme toxique. Certains déchets nucléaires resteront mortels pendant 24 000 ans.

En 1992, les plastiques représentaient 60 % des déchets retrouvés sur les plages dans le monde, alors que ces matériaux existaient à peine en 1950. L'avènement du pétrole a provoqué l'apparition des marées noires. Certaines sont dues à des accidents : en 1979, l'*Atlantic Express* déversait 287 000 tonnes de pétrole dans les Caraïbes ; en 1978, l'*Amoco Cadiz* s'approchait de ce record avec 223 000 tonnes de pétrole brut lâché au large de la Bretagne ; en 1989, l'*Exxon Valdez* polluait les côtes de l'Alaska avec 37 000 tonnes de pétrole brut ; en 2002, le *Prestige* libérait 17 000 tonnes de pétrole au large de l'Espagne. La fréquence de ces désastres de grande ampleur diminue et le nettoyage des soutes à pétrole en pleine mer par des capitaines peu scrupuleux est désormais responsable de la plus grande partie du pétrole présent dans la mer.

Enfin, à des centaines de kilomètres de la Terre, l'espace est devenu la dernière poubelle de l'humanité, avec plusieurs milliers de satellites désaffectés, de propulseurs de vaisseaux spatiaux et de débris d'objets en orbite autour de la planète à des vitesses de plusieurs milliers de kilomètres par heure.

En 2000, 160 millions de tonnes de dioxyde de soufre (plus du double de l'ensemble des émissions naturelles) ont été émises dans l'atmosphère par l'activité industrielle, soit une augmentation d'un facteur treize par rapport aux émissions du début du XXe siècle. Cette pollution est à l'origine d'une acidification des pluies et des lacs dans les régions fortement industrialisées. En 2000 toujours, 6,5 milliards de tonnes de carbone (moins de 500 millions en 1900) ont été rejetées dans l'atmosphère. La concentration de dioxyde de carbone (CO_2) dans l'atmosphère dépasse les limites des fluctuations naturelles de la concentration de ce gaz au cours des cycles glaciaires-interglaciaires des dernières centaines de milliers d'années. L'atmosphère est donc sortie de son état naturel. 25 millions de tonnes d'azote sont également émises chaque année dans l'atmosphère sous forme NO_x ; la concentration atmosphérique de méthane (CH_4) a augmenté de 150 % depuis 1750 (principal responsable : les 1,4 milliard de têtes de bétail que compte aujourd'hui la planète) et la concentration de protoxyde d'azote (N_2O) dans l'atmosphère est la plus élevée depuis plus de mille ans.

L'activité humaine libère dans la nature de nombreuses substances toxiques, comme les dioxines, dont l'évolution et l'effet à long terme sur la santé sont mal connus. Ainsi, elle a laissé s'échapper 78 000 tonnes d'arsenic dans la nature en 1980 : quatre fois plus que ce qui est libéré de manière naturelle. Les émissions de plomb ont augmenté à peu près huit fois au cours du XXe siècle. La glace arctique formée au XXe siècle contient jusqu'à cent fois plus de plomb que la glace formée avant que l'homme exploite cet élément (utilisé en plomberie dès l'Empire romain). Les concentrations du cuivre, du zinc, du mercure et du cadmium dans la nature ont plus que doublé depuis l'ère pré-industrielle, atteignant localement des concentrations dans le sol dix à cent fois supérieures aux niveaux naturels. Des émissions de substances non toxiques comme les chlorofluorocarbones (fréons et autres halons) sont à l'origine d'un amincissement saisonnier de la couche d'ozone en Antarctique et dans l'hémisphère Nord. Une des conséquences en a été une augmentation, certains mois de l'année, du rayonnement ultraviolet sur la surface terrestre. Une quantité élevée de ce rayonnement affecte la photosynthèse des plantes vertes et tue le phytoplancton des océans.

Les premiers signes du réchauffement climatique

Les gaz à effet de serre émis dans l'atmosphère par l'activité humaine ont contribué à une augmentation de la température de l'atmosphère globale. Leur effet en 2000 équivalait à une augmentation d'un peu plus de 1 % du rayonnement solaire atteignant la surface de notre planète. Au cours du XXe siècle, la température moyenne à la surface de la Terre a augmenté d'environ 0,6 °C. Les années quatre-vingt-dix ont été les plus chaudes du XXe siècle. Les premières années du XXIe siècle prolongent la tendance, ainsi que l'a attesté l'été caniculaire de 2003 en Europe et ses funèbres conséquences en France. Les neuf années les plus chaudes en Europe sur les derniers cinq cents ans se situent toutes après 1989.

Ce réchauffement climatique a provoqué un allongement de la saison de croissance et une réduction de deux semaines environ du gel annuel des lacs et des cours d'eau dans les zones boréales et tempérées de l'hémisphère Nord. La couverture neigeuse a diminué d'environ 10 % depuis la fin des années soixante à l'échelle mondiale. La calotte glaciaire de l'Arctique a rétréci d'un million de kilomètres carrés (3 à 4 % par décennie) depuis 1978. L'épaisseur de la glace dans l'océan Arctique a diminué d'environ 40 % de la fin de l'été au début de l'automne au cours des dernières décennies.

Le recul des glaciers est manifeste également en dehors de la zone polaire. Plus de 80 % de la glace accumulée au sommet du Kilimandjaro, le plus haut sommet d'Afrique, a fondu depuis le début du XXe siècle. Le niveau moyen de la mer s'est élevé de dix à vingt centimètres au XXe siècle. La fréquence des événements climatiques extrêmes (activité orageuse, larges dépressions atmosphériques, sécheresses) a augmenté dans plusieurs régions, mais pas partout.

La vague d'extinction la plus rapide jamais connue

On estime que le taux d'extinction des espèces animales et végétales est aujourd'hui au moins plusieurs centaines de fois supérieur au taux d'extinction naturel. Documenter l'extinction d'une espèce est difficile car le processus est progressif et, une fois l'espèce éteinte, seuls des fossiles ou des archives scientifiques permettent d'attester de sa disparition.

Au cours des cinq derniers siècles, au moins 811 extinctions d'espèces peuvent être documentées de manière incontestable. Selon les méthodes utilisées, on estime qu'entre 3,5 % et 12 % des espèces d'oiseaux sont menacées d'extinction à l'échelle mondiale. Pour des régions particulières, le taux est beaucoup plus élevé. Des 240 espèces de primates connues, dix-neuf risquent de disparaître dans les vingt ans, car leur population est passée au-dessous du seuil permettant la perpétuation de l'espèce. 97 autres sont menacées à des degrés divers par la disparition de leur habitat, notamment du fait de la déforestation dans les régions tropicales. Les récifs de coraux et les mangroves diminuent ou se dégradent rapidement en plusieurs endroits de la planète.

Si ces tendances se confirment, la vague d'extinction la plus rapide qu'ait connue la planète Terre est en marche, du seul fait de l'activité humaine. De nombreux experts s'accordent sur le fait que cette extinction (la sixième dans l'histoire du monde vivant) est plus rapide encore que celle probablement causée, il y a 65 millions d'années, par une collision entre la planète Terre et une météorite géante, qui conduisit notamment à l'extinction des dinosaures. Des données indiscutables pour chiffrer l'ampleur exacte de l'extinction en cours manquent encore, ne fût-ce que parce que le nombre total d'espèces vivant sur Terre demeure incertain et qu'une petite fraction de ces espèces seulement a été décrite.

Aux processus de sélection naturelle, l'homme a ajouté des processus artificiels de sélection qui ont façonné les populations vivant sur Terre. Les espèces qui répondent à des besoins humains (les animaux domestiques, les céréales et les eucalyptus, par exemple) et qui ont réussi à s'adapter aux changements environnementaux apportés par l'homme (les rats, le virus du rhume et le bacille de la tuberculose, par exemple) ont proliféré. Au cours du XXe siècle, la population de cochons, vaches, moutons, chèvres et poulets a augmenté plus rapidement encore que la population humaine. En revanche, les espèces utiles pour l'homme mais difficiles à domestiquer (le bison et la baleine bleue) ainsi que celles qui n'ont pas réussi à s'adapter à un paysage dominé par l'homme (le gorille et le tigre de Sibérie) sont en voie d'extinction.

Des invasions biologiques sans précédent

Le développement du transport international et les grandes migrations humaines ont déplacé, d'un continent à l'autre, par accident ou de manière intentionnelle, des espèces animales et végétales qui, dans certains cas, ont rapidement colonisé leur nouvel environnement. Des espèces natives se sont vues écartées de leur habitat privilégié par ces envahisseurs et l'équilibre écologique de certaines régions a basculé. En 1889, l'armée italienne qui faisait campagne en Somalie a importé du bétail souffrant de la peste bovine. Cette maladie très contagieuse était inconnue en Afrique. La mobilité du bétail en Afrique de l'Est a entraîné la plus grande épizootie (épidémie animale) documentée dans l'histoire. Des millions de têtes de bétail moururent, ainsi que des millions de buffles, antilopes, girafes, gnous et autres ruminants sauvages. La diminution importante de la pression des herbivores entraîna une augmentation du couvert arboré dans les savanes d'Afrique de l'Est mais aussi une déstabilisation profonde des économies pastorales de l'Afrique orientale et australe, avec d'inévitables conséquences sur les hommes : près de deux tiers des Massaï, notamment, périrent.

Au XXe siècle, des invasions biologiques de ce type ont été d'une fréquence sans précédent. Après son introduction en Australie en 1859, le lapin a atteint une population d'à peu près 500 millions en 1950, au grand dam des éleveurs de moutons australiens dont les pâturages étaient envahis. La myxomatose, introduite à dessein, élimina 99,8 % la population de lapins avant qu'elle remonte, dans les années quatre-vingt-dix, à 100 millions d'individus, les nouvelles générations ayant acquis une immunité face à la maladie. D'autres invasions biologiques ont atteint des espèces végétales : le châtaignier fut éradiqué d'Amérique du Nord suite à l'introduction accidentelle d'un champignon.

Une des craintes liées à l'utilisation d'organismes génétiquement modifiés en agriculture est également que ces plantes – ou les hybrides qu'elles risquent de former avec des plantes sauvages – acquièrent un avantage sur leurs congénères naturels et envahissent, de manière incontrôlable, d'autres habitats, en particulier si les gènes introduits en laboratoire pour conférer une résistance à des herbicides se propageaient aux espèces hybrides.

Incertitudes et variations régionales

Pour d'autres formes de changements environnementaux, un consensus scientifique fait toujours défaut, principalement parce que des données quantitatives et fiables à l'échelle mondiale manquent. C'est le cas de la désertification (dont il sera question plus loin) et de l'impact sur l'environnement des pesticides et des dizaines de milliers d'autres produits chimiques synthétiques qui ont été libérés dans la nature. L'ampleur de la perturbation des cycles du phosphore et du soufre n'est pas non plus parfaitement connue. Pour beaucoup de ces changements environnementaux, des données locales suggèrent que les impacts sur les écosystèmes et sur les sociétés humaines sont potentiellement importants, mais une vision globale et chiffrée fait défaut.

La plupart des données précédentes concernent l'ensemble du globe et décrivent une évolution à l'échelle des derniers siècles. Elles masquent des évolutions divergentes suivant les régions et les périodes, et toute généralisation à l'échelle mondiale et à l'échelle du dernier siècle masque inévitablement des tendances divergentes et complexes.

Par exemple, l'essentiel de la déforestation tropicale se concentre, depuis les années quatre-vingt, dans une bonne quinzaine de « points chauds » où des taux de déforestation de plus de 2,5 % par an sont observés tandis que les forêts d'Europe, par exemple, gagnent de nouvelles surfaces. La pollution de l'air des grandes villes du tiers-monde menace la santé de la population, tandis que, après trois siècles de dégradation, la qualité de l'air s'est significativement améliorée dans les villes d'Amérique du Nord, d'Europe occidentale et du Japon au cours des trente dernières années. En particulier, la concentration atmosphérique en dioxyde de soufre (SO_2) et en monoxyde de carbone (CO) y a considérablement diminué grâce à un contrôle de la pollution automobile et industrielle. Pour bien comprendre la nature de chaque problème environnemental, on ne peut donc faire l'économie d'une analyse historique et géographique détaillée.

Le plus grand désastre environnemental du XXe siècle

La mer d'Aral mérite la palme de la plus grande catastrophe écologique causée par l'activité humaine à l'échelle régionale. Située à cheval sur les anciennes républiques soviétiques du Kazakhstan et de l'Ouzbékistan, elle était, en 1960, la quatrième plus grande surface d'eau douce au monde. Depuis, sa superficie a diminué de plus de 50 %, son volume de 75 %, son niveau a baissé de plus de 15 mètres et sa salinité a augmenté plus de trois fois. En 1990, elle s'est divisée en deux parties.

L'essentiel des eaux des deux rivières qui alimentent la mer d'Aral, le Amu Dar'Ya et le Syr Dar'Ya, a été diverti de leur cours à partir des années soixante pour irriguer 7 millions d'hectares de champs de coton (et, dans une moindre mesure, de riz), ce qui correspond à une superficie égale à celle de l'Irlande. Un canal de 1 100 kilomètres de long (le canal de Karakum) a été construit pour amener l'eau vers le Turkménistan voisin. Avant 1960, l'apport d'eau dans la mer d'Aral était de 55 milliards de mètres cubes par an, ce qui est comparable au débit du Pô en Italie. Dans les années quatre-vingt-dix, l'apport d'eau était au plus à un dixième de sa valeur initiale, lorsqu'il n'était pas réduit à néant pendant les périodes de sécheresse. Entre 30 et 45 % de l'eau divertie pour l'agriculture étaient gaspillés (par évaporation, pertes dans les canaux d'irrigation, mais aussi surirrigation des champs, qui recevaient jusqu'à 12 500 mètres cubes d'eau par hectare quand 3 500 mètres cubes suffisaient, voire 2 500 mètres cubes avec un choix judicieux des espèces de coton). Peu après la construction du canal de Karakum, des fuites d'eau ont menacé d'inondation Achkhabad, la capitale du Turkménistan. Quasiment plus alimentée en eau, la mer d'Aral s'est rapidement asséchée par évaporation.

Les conséquences écologiques et humaines de l'assèchement partiel de la mer d'Aral ont été multiples. Le climat local a changé, avec des températures plus élevées en été, des précipitations plus faibles pendant la saison humide et un raccourcissement de deux semaines de la saison de croissance du coton. La quantité de neige qui tombait sur les montagnes voisines, dont la fonte au printemps alimentait les fleuves Amu Dar'Ya et Syr Dar'Ya, a diminué. Dans les années cinquante, 40 000 à 60 000 tonnes de poissons étaient extraites de la mer d'Aral chaque année. À partir des années soixante-dix, la population de poissons s'est effondrée du fait de la salinité croissante des eaux, ce qui a contraint l'industrie de la pêche à abandonner ses activités. Des dizaines de milliers d'emplois liés à la pêche ont été perdus. Vingt des vingt-quatre espèces locales de poissons se sont éteintes. Les dépôts de sel sur les fonds asséchés de la mer ont été dispersés par le vent dans toute la région : les rendements agricoles ont diminué ; les pâturages sont devenus stériles dans un rayon de 200 kilomètres autour de la mer d'Aral ; les structures en béton et en acier (dont les pylônes électriques) se sont corrodées ; et la population a souffert de fortes irritations oculaires.

Les nappes phréatiques aux alentour ont baissé de 5 à 15 mètres et les eaux souterraines sont devenues salées. Dans les zones irriguées, en revanche, le niveau des eaux souterraines s'est élevé de plusieurs mètres, provoquant une salinisation des sols agricoles, donc une désertification des terres. La végétation des forêts alluviales, des marécages et des pâturages s'est, en conséquence, modifiée. En 1990, près de la moitié des espèces de mammifères et trois quarts des espèces d'oiseaux présents dans la région en 1960 avaient disparu. La population humaine souffre de problèmes de santé du fait de la densité en sable et en sels de l'air, mais aussi de la contamination des sols et de l'eau par des pesticides qui avaient été appliqués en grande quantité sur les champs de coton (jusque 54 kilogrammes par hectare) pour lutter contre les insectes nuisibles qui prospèrent sous ce climat chaud. La concentration en DDT dans les sols est, en moyenne, de deux à sept fois supérieure au niveau maximum acceptable, avec localement des concentrations quarante-six fois supérieures à ce niveau. Ces polluants se retrouvent dans les sources d'eau. La situation est telle que les autorités du Kazakhstan découragent l'allaitement maternel, étant donné les doses élevées de résidus de pesticides trouvés dans le lait maternel. La mortalité infantile dans la région est parmi les plus élevées du monde. Restaurer la mer d'Aral est peut-être une tâche impossible : ce qui fut jadis une vaste mer bleue est, sans doute, pour longtemps un désert de sel, abandonné par la plupart des formes de vie.

Ce désastre écologique est avant tout le résultat de politiques de développement économique inappropriées, mais aussi de l'arrogance d'une élite politique, confortée par la complicité d'ingénieurs et de scientifiques. Dans les années cinquante, certains dirigeants locaux déclaraient que l'assèchement de la mer d'Aral était le prix à payer pour développer la région et que la culture du coton viendrait compenser la disparition des industries côtières. Les budgets alloués aux multiples administrations en charge de la région et aux exploitations agricoles collectives le furent non pas en fonction de la production agricole atteinte mais en fonction des infrastructures et des opérations technologiques réalisées : les planificateurs et les acteurs n'avaient donc aucun intérêt à limiter le gaspillage. Certes, l'objectif, qui était de rendre l'Union soviétique autosuffisante en coton, fut grandement dépassé, puisque le pays devint le deuxième exportateur mondial de coton.

Le cas n'est pas isolé. Le barrage des Trois Gorges en Chine relève de la même volonté de dominer la nature par des projets géants, malgré leur coût écologique et humain, notamment pour affirmer la puissance d'une nation et de ses dirigeants. Il en est de même pour le barrage Hoover sur le fleuve Colorado aux États-Unis, construit pendant la Grande Dépression des années trente, et pour le barrage d'Assouan, construit en Égypte sous Nasser qui y vit un symbole du nationalisme arabe et un projet digne des pyramides de ses ancêtres les pharaons. Tous ces grands projets ont eu des impacts écologiques sévères, sans toutefois égaler le désastre de la mer d'Aral.

Une expansion mondiale sans précédent

Pendant que la planète Terre subissait des changements écologiques de cette ampleur, au cours du XXe siècle, comment l'humanité a-t-elle évolué ? Là, le pessimisme cède le pas à l'optimisme.

Au cours des derniers siècles, la longévité et la prospérité de l'homme n'ont cessé d'augmenter. L'espérance de vie moyenne de la population mondiale est passée de 24 ans en l'an 1000 à 66 ans en 1999. Sur les trois cents dernières années, la population humaine mondiale a augmenté d'un facteur dix, pour dépasser les 6 milliards d'individus au début de ce siècle. En l'an 1, la population humaine ne comptait que de 200 millions à 300 millions de personnes, soit l'équivalent de la population actuelle des États-Unis.

L'économie mondiale, mesurée par le produit national brut de l'ensemble des pays, était cent vingt fois plus puissante en 2000 qu'en 1500. Son expansion sans précédent est en partie liée à la croissance de la population pendant cette période, mais résulte également de l'adoption de technologies plus productives et d'une organisation plus efficace de la production. Le revenu moyen par habitant était neuf fois plus élevé à la fin du XXe siècle qu'en 1500, après ajustement du pouvoir d'achat.

Selon une étude de l'OCDE, l'économie mondiale a été plus dynamique pendant ces cinquante dernières années qu'elle ne l'a jamais été auparavant. Le taux moyen de croissance économique a été de 3,9 % par an entre 1950 et 2000 contre 1,6 % entre 1820 et 1950, et 0,3 % entre 1500 et 1820. Les investissements étrangers directs dans le monde ont augmenté d'un facteur sept (à prix constants) entre 1978 et 1998. Les communications et les échanges de biens et de services ont connu un développement considérable dans la seconde moitié du XXe siècle, ce qui a permis une diffusion des idées et des technologies à travers le monde.

Entre 1950 et 1990, le nombre de postes de télévision est passé de 45 millions à 826 millions et le nombre de postes de radio de 226 millions à près de 2 milliards. Entre 1993 et 1999, le nombre de personnes connectées au réseau Internet est passé de 3 millions à 200 millions. Le nombre total de véhicules motorisés (voitures, camions et motos) est passé de moins d'un million en 1910 à 777 millions en 1995. 456 millions de touristes ont visité un pays étranger en 1990 alors qu'en 1950 ils n'étaient que 28 millions à sortir de leur pays. Au cours des mêmes quarante années, le nombre de passagers aériens est passé de 23 millions à plus d'un milliard par an.

Cependant, les écarts entre les pays les plus riches et les plus pauvres de la planète ont, eux aussi, augmenté. Le rapport entre les revenus des 20 % les plus riches de la planète et des 20 % les plus pauvres est passé de trente pour un en 1960 à soixante-dix-huit pour un en 1994. La réalité la plus choquante est que les 20 % les plus riches de la planète produisent et consomment 85 % de la valeur des biens et services à l'échelle mondiale, alors que les 20 % les plus pauvres ne disposent que de 1,3 % du produit économique mondial. Les quinze personnes les plus riches de la planète ont une fortune plus élevée que le produit national brut de l'ensemble des pays de l'Afrique subsaharienne. Même si le niveau de vie des plus pauvres a augmenté en valeur absolue, 1,2 milliard de personnes vivait avec moins d'un dollar par jour en 2000.

En Afrique, le revenu par habitant a diminué depuis 1980 (après avoir augmenté de 1820 à 1980), car le taux de croissance démographique dépasse désormais le taux de croissance économique. Cette baisse de revenu peut aussi traduire le fait que le secteur « informel » de l'économie – l'ensemble des activités économiques non recensées, qui échappent à la comptabilité nationale – a pris de l'ampleur au point d'empiéter sur le secteur formel.

Quoique au cours du XXe siècle le nombre absolu de pauvres ainsi que l'écart entre les revenus des pauvres et des riches ont augmenté, la tendance générale a cependant été une amélioration considérable du niveau de vie moyen et du revenu en valeur absolue des plus pauvres. Des progrès impressionnants ont été réalisés dans un large spectre de secteurs d'activité et continuent à être réalisés.

Le prix à payer a été une transformation sans précédent du système naturel. L'activité humaine a modifié la nature plus rapidement que les forces naturelles ne l'ont fait au cours des dernières centaines de milliers d'années. Elle a poussé le système terrestre dans un état sans équivalent dans l'histoire de la planète. L'humanité s'est, involontairement, embarquée dans une vaste expérience pour laquelle il n'y a pas de direction centrale, pas de vision à long terme, aucune possibilité de retour en arrière et pas de seconde chance.

Chapitre 2

L'homme et son environnement

« Le monde n'est pas moins beau pour
n'être vu qu'à travers une fente ou le trou d'une planche. »
Henry David Thoreau

Les théories qui, à travers l'histoire, ont décrit les interactions entre l'activité humaine et son environnement naturel ont toujours inclus deux dimensions : l'influence des forces naturelles sur le développement des sociétés (l'adaptation de l'homme à la nature) et, l'impact de l'homme sur la nature (la transformation de la nature par l'homme).

Ces deux dimensions se retrouvent déjà dans l'Ancien Testament. Dans la Genèse, il est dit : « Le Seigneur Dieu modela l'homme avec de la poussière prise du sol de la Terre. Il insuffla dans ses narines l'haleine de vie, et l'homme devint un être vivant. [...] Le Seigneur Dieu prit l'homme et l'établit dans le jardin d'Éden pour cultiver le sol et le garder. » Quelques paragraphes plus haut, dans une description différente de la Création, Dieu aurait dit : « Faisons l'homme à notre image, selon notre ressemblance » et, après avoir créé l'homme et la femme, « Dieu les bénit et leur dit : Soyez féconds et prolifiques, remplissez la Terre et dominez-la. Soumettez les poissons de la mer, les oiseaux du ciel et toute bête qui remue sur la Terre ! Dieu dit : Voici, je vous donne toute herbe qui porte sa semence sur toute la surface de la Terre et tout arbre dont le fruit porte sa semence ; ce sera votre nourriture. » Tantôt l'homme est issu de la Terre et a pour mission d'en être le gardien, tantôt il est placé au-dessus de la nature et peut l'exploiter pour en vivre.

Cette ambiguïté se trouve au cœur de ce livre : l'homme modifie en profondeur la nature à son profit mais reste fondamentalement dépendant des services qu'elle fournit à l'humanité. Il doit donc préserver l'intégrité de certaines de ses fonctions.

Dans la tradition judéo-chrétienne, le rôle de l'homme propriétaire de la nature a rapidement pris le dessus sur son rôle de gardien. Dans le dualisme entre l'homme et la nature, les éléments naturels n'ont d'autre fonction que de servir l'homme. Au sein de la Chrétienté, cette vision n'a été contestée que par François d'Assise. En revanche, les traditions grecques, romaines et orientales anciennes conféraient une valeur sacrée aux éléments naturels. De même, presque toutes les petites sociétés, y compris en Occident, ont représenté l'homme comme faisant partie de la nature et ayant le devoir de la préserver en échange du droit d'y puiser les biens nécessaires à sa survie, dans une relation d'échange et de respect mutuel.

La conception scientifique des interactions entre l'activité humaine et la nature a fortement évolué au XXe siècle. Dans un premier temps, elle a reflété le fait que l'environnement naturel place des limites au développement des sociétés humaines. Ensuite, la pensée a intégré la capacité croissante de l'homme à modifier son environnement. Puis les scientifiques ont constaté que certaines modifications ont des conséquences potentiellement néfastes pour l'activité humaine.

Les théories scientifiques sur les rapports entre la société et la nature ont reflété et influencé, à chaque époque, l'attitude du public vis-à-vis de l'environnement naturel. Elles ont forgé la manière dont l'homme se représente l'environnement naturel et ont été reprises par des idéologies qui prescrivent le comportement de l'homme à l'égard de la nature.

Les premières conceptions scientifiques

De nombreuses sociétés anciennes expliquaient le déroulement des affaires humaines en invoquant l'influence du mouvement des étoiles. Cette croyance dans une relation de cause à effet entre l'environnement céleste et le comportement de l'homme fut la manière originelle par laquelle les rapports entre l'homme et la nature étaient conçus, croyance qui subsiste dans l'imaginaire populaire avec l'astrologie.

Plus proche des connaissances scientifiques modernes, l'idée que les conditions climatiques déterminent l'organisation politique des sociétés a été évoquée par les anciens philosophes grecs, puis développée par Montesquieu et d'autres Français de l'époque des Lumières. Cette ligne de pensée s'est cristallisée à la fin du XIXe siècle à travers le « déterminisme environnemental », qui prétendait que la culture et le comportement humain étaient entièrement le produit de leur environnement naturel : les Anglais auraient développé de grandes aptitudes pour la navigation parce qu'ils occupaient une île ; les Arabes seraient monothéistes parce qu'ils vivaient dans de vastes déserts vides, ce qui avait fait surgir dans leur esprit l'idée d'un Dieu unique ; les Esquimaux étaient un peuple nomade primitif étant donné les conditions rudes de l'environnement arctique...

Mais il est rapidement devenu évident que la diversité des comportements humains ne s'explique pas par la seule influence de l'environnement : les occupants de la Tasmanie, une île aux caractéristiques physiques similaires à celles des îles Britanniques, n'ont jamais construit de bateaux ; avant d'être convertis à l'islam, les tribus arabes croyaient en l'existence d'une multitude de dieux et, de nos jours, l'Alaska est parsemé d'installations modernes d'extraction du pétrole. Malgré le faible pouvoir explicatif du déterminisme environnemental, cette théorie a survécu jusque dans les années vingt et resurgit de manière épisodique dans certains discours peu avertis.

Le « possibilisme environnemental » est une version assouplie de la théorie précédente : si l'environnement n'est pas la cause directe des modes de développement des sociétés humaines, la présence ou l'absence de facteurs environnementaux particuliers place des limites à ces développements, en permettant ou en interdisant leur apparition. Si les habitants de régions côtières ont la possibilité de développer la navigation marine, les peuples vivant dans des régions enclavées n'ont pas l'opportunité d'acquérir ces compétences. La domestication animale n'a pu se produire que dans les régions où abondaient les mammifères répondant à certains critères qui les rendaient domesticables. L'adoption de certaines cultures agricoles n'a eu lieu que là où les conditions climatiques, notamment la longueur de la saison de croissance, étaient appropriées. Ces constatations peuvent difficilement être mises en défaut pour des civilisations qui ne disposaient pas de la technologie moderne, mais les techniques avancées permettent de s'abstraire de certaines contraintes naturelles.

Dans un livre récent, Jared Diamond, biologiste américain passionné d'archéologie, a fait appel au possibilisme environnemental pour expliquer le développement historique très différencié des régions du monde au cours des 13 000 dernières années. Pourquoi le Nouveau Monde et l'Australie ont-ils été colonisés par les Européens et non l'Europe par les Incas ou les Aborigènes ?

La réponse offerte par Diamond invoque les différences, d'un continent à l'autre, dans l'abondance d'espèces animales et végétales domesticables, ainsi que des caractéristiques géographiques qui ont facilité la migration humaine et la diffusion d'innovations au sein de chaque continent et entre continents. Ces facteurs ont déterminé la résistance des populations aux pathogènes, mais aussi la croissance de la production de nourriture, celle de la population, et le développement de larges sociétés sédentaires, stratifiées socialement et avancées sur les plans technologique et militaire.

L'historien britannique Arnold Toynbee développait, en 1947, la thèse selon laquelle certaines sociétés ont dû faire face à de plus grands défis de la part de leur environnement naturel, ce qui a encouragé leur progression vers des niveaux plus élevés de civilisation. Il interprétait les changements dans les modes d'organisation des sociétés humaines comme une succession de réponses à des conditions environnementales particulières.

Mais, si le possibilisme environnemental explique pourquoi certains développements n'ont pu avoir lieu dans certaines régions du monde, il est impuissant à expliquer et prédire pourquoi ces développements apparaissent ou n'apparaissent pas là où les circonstances leur sont favorables.

Les emprunts à la biologie

La théorie de l'évolution des espèces de Darwin a exercé une influence décisive sur la compréhension des interactions entre la nature et les activités humaines. Depuis la publication par Darwin en 1859 du livre *De l'origine des espèces*, de nombreux biologistes ont étudié les mécanismes d'adaptation chez les espèces végétales et animales, en cherchant à expliquer l'apparition d'organes ou de comportements particuliers à partir des caractéristiques de l'environnement. Ils établissaient ainsi que la diversité des formes de la vie était le résultat d'une pression sélective par l'environnement. De manière similaire, l'anthropologue américain Julian Steward a promu le concept d'« écologie culturelle », expliquant que certains aspects socio-économiques et culturels des sociétés humaines résultent d'adaptations à des contraintes naturelles. C'était en particulier le cas des technologies d'exploitation des ressources, de la démographie et de l'organisation économique et sociale.

Contrairement aux plantes et aux animaux, les êtres humains ont la capacité de s'adapter de manière consciente à de nouvelles circonstances. Ils définissent des alternatives et choisissent parmi elles sur la base de leurs connaissances et de leur capacité à anticiper certaines évolutions. Dans les sociétés anciennes, ces adaptations très pragmatiques étaient parfois transmises de génération en génération par le biais de tabous religieux. Dans l'hindouisme, le caractère sacré des vaches et l'interdiction de les tuer qui en résulte étaient, à l'origine, l'expression de la valeur du bétail pour la population indienne : les bénéfices liés aux vaches – dont la progéniture mâle est utilisée comme animal de trait et le fumier sert d'engrais et de combustible – contribuaient de manière importante au bien-être de la population. Préserver les vaches était donc une adaptation culturelle à des conditions écologiques particulières.

Ce type d'explication s'applique essentiellement à des sociétés vivant dans des conditions relativement stables, avec un impact limité sur l'environnement. Dans les sociétés complexes, la transformation de l'environnement par l'activité humaine crée la nécessité d'une réadaptation constante de l'organisation sociale et économique aux nouvelles conditions environnementales créées par l'homme. La rigidité des tabous et d'autres prescriptions religieuses et sociales devient alors un obstacle à la capacité d'adaptation des sociétés. Il est donc nécessaire de se représenter la relation entre la société et la nature de manière dynamique plutôt que de concevoir l'environnement comme un élément statique.

Dans les années soixante, le concept d'« écosystème » (défini comme l'ensemble des êtres vivants et des éléments non vivants de l'environnement – sol, eau, climat – qui interagissent au sein d'une entité spatiale définie) fut appliqué à la compréhension des interactions entre l'activité humaine et la nature. Les différentes composantes d'un écosystème sont reliées de manière fonctionnelle par des flux d'énergie, de matière et d'information. Un écosystème a une organisation complexe et ses éléments sont caractérisés par une grande diversité. La population humaine est considérée comme une espèce parmi les autres espèces, animales et végétales, de l'écosystème.

L'objectif de ces interactions est d'assurer la survie de l'écosystème dans son ensemble, non la persistance de la population humaine aux dépens de son milieu. Cette approche a été appliquée principalement à l'analyse des stratégies des sociétés primitives. Les caractéristiques d'une société traditionnelle sont donc analysées en tant que facteurs d'adaptation d'une population aux conditions de son écosystème. Par exemple, des pratiques rituelles impliquant des sacrifices, la castration de certains jeunes garçons (chez les Moriori dans les îles Chatham) ou des guerres tribales dans des sociétés primitives ont été interprétées comme ayant pour fonction de maintenir la densité de population à un niveau compatible avec les caractéristiques de l'écosystème naturel. Ces stratégies adaptatives prennent en compte les fluctuations de la quantité de nourriture disponible d'une année sur l'autre, suite à des variations climatiques imprévisibles.

Dans certains cas, des facteurs internes aux sociétés humaines interfèrent avec le processus d'adaptation aux contraintes environnementales. C'est le cas d'institutions rigides, d'une faiblesse dans la capacité d'innovation technologique, d'un système politique oppressant ou de conditions économiques précaires. Une mauvaise adaptation réduit les chances de survie de la société et diminue sa capacité de réponse aux perturbations extérieures. Ces problèmes de « maladaptation », selon l'expression de l'anthropologue américain Roy Rappaport, deviennent particulièrement sévères dans les sociétés complexes, pour lesquelles les intérêts de l'élite divergent des préoccupations du reste de la population.

De telles « maladaptations » peuvent expliquer l'impact destructeur d'une société sur son environnement naturel, entraînant parfois sa chute. Lorsque les mécanismes d'adaptation de la société à de nouvelles conditions environnementales deviennent inefficaces, les facteurs sociaux qui perpétuent les institutions économiques et politiques tendent à persister pour eux-mêmes. Ce processus profite aux élites mais, dans certains cas, dégrade les écosystèmes et diminue le bien-être de la majorité de la population.

Dans toutes les théories décrites précédemment, les interactions entre l'activité humaine et l'environnement sont essentiellement vues en termes d'adaptation humaine à des contraintes naturelles : la nature influence l'activité humaine. Ces théories, si elles s'appliquent bien aux sociétés qui n'ont pas acquis une maîtrise technologique avancée, n'offrent pas d'explication satisfaisante à la transformation en profondeur de la nature par l'homme. Or une telle transformation était présente dès l'émergence des sociétés complexes, il y a plusieurs milliers d'années, et s'est considérablement accélérée avec l'industrialisation.

En 1864, déjà, l'Américain George Perkins Marsh, observateur attentif des changements que l'homme avait apportés aux paysages naturels, en plus d'être membre du Congrès américain et ambassadeur en Turquie et en Italie, publiait une étude scientifique complète sur les implications pour l'environnement de l'activité humaine : *L'Homme et la nature*. Il y déclinait ce que l'on considère comme les fondements de la science environnementale contemporaine, si bien que beaucoup font de lui le fondateur de l'étude scientifique des transformations de l'environnement terrestre par l'homme.

L'influence de la théorie économique néoclassique

Les représentations scientifiques des interactions entre l'activité humaine et l'environnement naturel doivent autant à la doctrine de la « main invisible » d'Adam Smith qu'à la théorie de l'évolution de Darwin. En effet, une question importante soulevée par les théories en écologie humaine concerne l'unité qui se trouve au centre d'une adaptation à l'environnement : est-ce la société, l'écosystème dans son ensemble ou l'individu ? Alors que les théories inspirées de la biologie ont analysé les adaptations à l'environnement au niveau des sociétés ou des écosystèmes, d'autres théories ont centré les décisions d'adaptation aux contraintes naturelles au niveau des individus. Ce courant de pensée faisait une plus grande part à la transformation de la nature par l'homme.

Dans une théorie inspirée de l'« économie néoclassique », des individus rationnels, parfaitement informés, qui ne servent que leurs propres intérêts, prennent une série de décisions concernant la meilleure manière d'interagir avec leur environnement. Ils font des choix en réponse aux contraintes et aux opportunités offertes par celui-ci. Ces choix visent soit à maximiser leur profit sous certaines contraintes, soit à minimiser les risques de famine étant donné des conditions environnementales variables et imprévisibles. Ces décisions étant répétées un grand nombre de fois, leur effet agrégé donne lieu à certaines formes d'adaptation à l'environnement et de transformation de celui-ci.

La déforestation de vastes territoires, par exemple, résulte d'une multitude de décisions individuelles de défricher un petit lopin de terre. Chacune de ces décisions résulte d'un calcul entre les coûts impliqués par cette action (le travail lié à l'abattage des arbres et à la mise en culture de nouvelles parcelles) et les bénéfices qui en découlent (la vente du bois et la production agricole). Certains acteurs font de bons choix (défricher des sols de vallée et planter du soja, dont le prix sur le marché est élevé) : le succès de leur stratégie entraînera leur réussite économique. D'autres échouent dans leur entreprise (défricher une parcelle à flanc de coteau, dont le sol est vite érodé, et planter du café, dont le prix s'effondre) : leur stratégie n'est alors pas reproduite.

Dans l'approche inspirée de l'économie néoclassique, il est généralement postulé que la recherche par chacun de la satisfaction de ses besoins individuels conduit au mode d'interaction avec l'environnement qui sert le mieux les intérêts de la société dans son ensemble. Or, à long terme, les intérêts de la société incluent une protection des biens et services essentiels fournis par les écosystèmes. La « main invisible » du marché prendrait donc automatiquement en charge la protection à long terme des ressources naturelles ayant une valeur pour l'activité humaine.

De nos jours, il est largement reconnu que le bien privé peut diverger du bien public dans certaines circonstances (on le verra avec ce que l'on nomme « la tragédie des biens communautaires »), que l'information des individus n'est ni parfaite ni égale, que certains acteurs bénéficiant d'une situation monopolistique manipulent le marché à leur profit et que la valeur d'un grand nombre de biens et services fournis par la nature n'est pas reflétée dans les prix du marché. Des imperfections du marché peuvent donc être à l'origine d'une dégradation environnementale.

En outre, l'individu ne pose pas des choix en dehors de toute influence. Les choix individuels sont l'expression de préférences qui reflètent des valeurs propres à un contexte social et culturel particulier. Celui-ci transcende l'acteur économique et lui préexiste. En d'autres termes, un système social offre un menu limité de stratégies adaptatives à l'environnement parmi lesquelles un individu peut choisir. Des individus dont le contexte culturel promeut une consommation effrénée ne pourront réduire de manière draconienne leur consommation qu'au prix d'une marginalisation sociale. Ils risquent alors de perpétuer une utilisation abusive de l'environnement naturel, même si cela est contraire à leurs aspirations personnelles.

Néanmoins, l'explication des changements environnementaux sur la base des décisions des acteurs individuels et de leurs interactions reste un acquis important de cette théorie. L'individu représente en effet l'unité élémentaire qui interagit avec les écosystèmes naturels par le biais d'une série de choix. Dans certains cas, les décisions individuelles qui ont mené aux formes les plus efficaces d'adaptation à l'environnement sont progressivement institutionnalisées sous la forme de normes culturelles.

L'influence de la théorie marxiste

L'« écologie politique », en revanche, d'inspiration marxiste, explique les changements écologiques en termes d'interactions toujours changeantes (c'est-à-dire de dialectique) entre la société et les ressources naturelles, ainsi qu'entre les classes sociales et les différents groupes d'utilisateurs de ressources. Dans cette théorie, les changements environnementaux sont le résultat d'un ensemble de relations sociales entre, d'une part, des groupes de gestionnaires de ressources naturelles qui ont des intérêts divergents et, d'autre part, ces gestionnaires et des entités économiques et politiques plus larges, en particulier le marché, les institutions qui contrôlent l'accès aux ressources, les systèmes d'extraction et de distribution des richesses, et l'État.

Dans cette approche, une dégradation de certaines ressources naturelles est expliquée par des alliances mouvantes entre l'État et des intérêts privés qui, via des politiques de subsides ou d'allocation des ressources, renforcent l'exploitation prédatrice de ressources naturelles et augmentent l'écart de richesse entre l'élite et les populations marginales. L'analyse de la déforestation mettra, par exemple, l'accent sur l'octroi d'un accès privilégié aux forêts d'un pays à des compagnies extractives du bois, avec la complicité d'un gouvernement corrompu. Ces compagnies, souvent étrangères, pilleront les ressources naturelles d'un pays en les dégradant parfois à long terme, sans que les populations locales en tirent un bénéfice substantiel : elles sont même parfois évincées des terres les plus riches en ressources en bois.

Les interactions entre l'activité humaine et l'environnement naturel sont donc largement influencées par les rapports sociaux, les institutions qui règlent l'accès aux ressources naturelles et les idéologies qui orientent la manière dont les ressources sont exploitées, dans les limites de ce que permet l'environnement physique. L'évolution socio-économique détermine, à un moment et en un endroit donnés, quelles ressources naturelles productives font l'objet de tentatives d'appropriation par différents groupes sociaux, parfois de manière conflictuelle. En résumé, dans une tradition typiquement marxiste, l'écologie politique présente l'exploitation des ressources naturelles comme déterminée par des processus sociaux, économiques et politiques qui opèrent au sein d'une société donnée et à l'échelle mondiale. Certains des mouvements contemporains qui mettent en exergue l'impact de la mondialisation sur l'environnement s'inspirent de cette théorie.

La théorie des systèmes appliquée à l'environnement

Alors qu'au début du XXe siècle l'environnement naturel était vu comme une entité passive imposant des limites à l'activité humaine, il est aujourd'hui représenté comme un « système » complexe et dynamique avec lequel les sociétés humaines entretiennent des relations elles-mêmes en constante évolution.

La théorie générale des systèmes, issue de la cybernétique, a fortement contribué à cette évolution de la pensée. Un système est une entité complexe formée de multiples éléments qui remplissent chacun des fonctions spécifiques et qui interagissent. Dans un système, la cause d'un changement ne peut pas être assignée à un élément particulier car ce changement résulte des multiples interactions entre tous les éléments du système. La planète Terre et l'humanité qui l'habite forment un système vaste et complexe, constitué de nombreux sous-systèmes, organisés à différents niveaux hiérarchiques. Un organisme, un être humain, une forêt, une entreprise ou un pays sont également des systèmes.

Au sein du système terrestre, la végétation, l'atmosphère, les océans, les glaciers, les processus géophysiques et l'activité humaine interagissent. Les grands cycles biogéochimiques intègrent toutes ces composantes du système terrestre et contribuent à les rendre étroitement interdépendantes. L'eau, par exemple, est stockée en grande quantité dans les glaciers et les océans, s'évapore de ces derniers dans l'atmosphère, y est transportée sur de longues distances et retombe sous forme de précipitations. L'eau est indispensable à la vie animale et végétale, et circule sur les terres émergées, dans les fleuves et rivières qui déplacent de grandes quantités de sédiments. L'eau, enfin, est exploitée pour l'agriculture irriguée et par les industries, en plus d'être consommée directement par l'homme.

Le carbone a également un cycle qui implique l'ensemble du système terrestre : des océans aux sédiments calcaires et à l'atmosphère, au sein de laquelle il contribue à l'effet de serre, en passant par la végétation, dont il est le principal matériel de construction, et les sols, dans lesquels il se retrouve en grande quantité. L'activité humaine intervient de manière majeure dans le cycle du carbone par l'extraction des réserves de charbon et de pétrole qui, en l'absence d'activité industrielle, resteraient isolées des cycles biogéochimiques aujourd'hui actifs.

Par la combustion de ces énergies fossiles, l'homme émet du dioxyde de carbone dans l'atmosphère, renforce l'effet de serre et cause un changement climatique global, qui affecte notamment l'activité biologique dans les océans et sur terre, donc la fixation de carbone par les organismes marins et par la végétation. L'activité humaine modifie également les stocks et les flux de carbone associés à la végétation en brûlant des forêts, en plantant des arbres et en modifiant la composition des espèces végétales présentes dans le paysage. Enfin, des conventions internationales telles que le protocole de Kyoto à la Convention-cadre des Nations unies sur les changements climatiques, adopté en décembre 1997 mais toujours pas mis en œuvre en 2004, tentent d'imposer des limites aux émissions de dioxyde de carbone, donc exercent un contrôle sur le cycle du carbone à travers le système terrestre.

Aujourd'hui, les activités industrielles et agricoles, ainsi que de nombreuses institutions politiques et économiques, influencent le fonctionnement de la planète Terre au même titre que les processus physiques, biologiques ou chimiques naturels : le système socio-économique mondial interagit fortement avec le système naturel planétaire. À l'ère de la mondialisation, l'organisation des systèmes humains a considérablement augmenté en complexité, sans toutefois atteindre le niveau de complexité de la nature. De même que les cycles de l'eau, du carbone ou de l'azote traversent tous les compartiments du système terrestre, la circulation d'informations, de marchandises et de personnes à travers des réseaux socio-économiques d'ampleur mondiale s'accélère.

Une des caractéristiques importantes des systèmes est leur comportement non linéaire. Le changement constant d'un facteur ne conduit pas nécessairement à une réponse constante du système. Le changement d'état du système s'accélère ou ralentit une fois que certains seuils sont dépassés.

En Afrique, une croissance de la population s'accompagne d'une expansion de la petite agriculture de subsistance et de la déforestation. Dans certaines régions de forêt tropicale d'Amérique du Sud, la création de grandes plantations de cultures commerciales aux dépens de la forêt s'accompagne d'un déclin de la population locale, qui est contrainte à l'exode. Dans certains pays d'Europe, la population diminue et des terres agricoles marginales sont abandonnées de manière permanente. En Amérique du Nord, en revanche, la population augmente alors que, là aussi, des terres agricoles sont abandonnées. Pourquoi ces comportements apparemment chaotiques ? Simplement parce que la taille de la population interagit avec de nombreux autres facteurs – la technologie de production, le type de cultures, la demande des marchés, les politiques agricoles, les préférences culturelles, la main-d'œuvre disponible, etc. – pour déterminer la superficie agricole. Ces relations sont systémiques : la technologie de production dépend de la demande des marchés, elle-même fonction de la population, laquelle détermine la main-d'œuvre disponible, dont le niveau d'éducation influence la technologie de production, etc.

Cette complexité inhérente à tous les systèmes entraîne des réponses non linéaires à des perturbations, ce qui rend la prédiction des évolutions difficile. Des surprises sont possibles. Elles peuvent notamment prendre la forme d'une brusque accélération d'un changement dès le franchissement d'un seuil. Insultez trois fois votre voisin, il ne réagira pas, par politesse. À la quatrième insulte, la réaction sera disproportionnée à l'agression, car vous l'aurez poussé au-delà du seuil qui impose une certaine réserve. La réponse n'est pas strictement proportionnelle à la stimulation extérieure. L'environnement terrestre réagit de la même manière face aux insultes répétées que lui inflige l'activité humaine.

Le comportement complexe des systèmes provient en partie de l'existence de « mécanismes de rétroaction ». De tels mécanismes interviennent lorsque l'état du système influence son taux de changement : l'évolution est alors indépendante d'une influence extérieure.

Une rétroaction positive conduit à une accélération du changement : une boule de neige qui dévale une pente grossit de plus en plus vite car plus son volume est élevé, plus elle accumule de la neige à chaque rotation. Une rétroaction négative atténue les changements et assure la stabilité du système : le système de chasse d'eau des toilettes inclut un mécanisme de valve qui diminue le taux de remplissage au fur et à mesure que la cuvette se remplit, puis bloque l'arrivée d'eau une fois la réserve d'eau reconstituée.

Un artiste de rue passe inaperçu jusqu'à ce que quelques passants s'arrêtent, attirant tout de suite un nombre croissant de curieux (rétroaction positive). Une fois que les spectateurs à l'arrière de l'attroupement n'entrevoient plus qu'à peine l'artiste, ils poursuivent leur chemin sans s'attarder (rétroaction négative). Par le jeu d'équilibre entre ces rétroactions positive et négative, la population de spectateurs se maintient à un niveau stable bien que, de manière continue, de nouveaux passants s'arrêtent et d'autres repartent. La taille de cette population stable représente la capacité limite de spectateurs étant donné la configuration particulière des lieux.

De la même manière, les systèmes naturels et humains les plus performants sont ceux pour lesquels un bon équilibre existe entre plusieurs forces internes, dont certaines promeuvent le changement et le renouvellement alors que d'autres assurent la stabilité face à des perturbations extérieures.

Dans une population au sein de laquelle le nombre de naissances est supérieur au nombre de décès, la croissance démographique s'accélère de manière exponentielle, car une population plus élevée donne lieu à un plus grand nombre de naissances (même si le nombre d'enfants par couple reste constant) et un plus grand nombre de naissances augmente la taille de la population (rétroaction positive). Avec un taux de croissance de 1,5 % par an, une population double en quarante-cinq ans. Si la population initiale est de 6 milliards de personnes, 80 millions de personnes supplémentaires sont ajoutés à la population la première année, alors que ce chiffre est de 160 millions la 45e année.

Des rétroactions négatives peuvent modérer l'évolution du système au-delà d'un seuil critique de population par rapport à l'environnement. Quand une population animale devient trop élevée, une rareté de ressources augmente la mortalité. Dans l'histoire des sociétés humaines, cette rétroaction négative a surtout impliqué un contrôle des naissances, une modification des règles qui autorisent le mariage, une émigration vers d'autres territoires, une redistribution des ressources au sein de la population ou des innovations technologiques.

Une rétroaction positive peut également être la cause d'une accélération subite d'un processus d'extinction, par exemple lorsque la population d'une espèce animale menacée devient si réduite qu'il devient difficile pour un individu de se trouver un partenaire pour s'accoupler et assurer sa reproduction. Les rétroactions positives donnent lieu à des « cercles vicieux », alors que les rétroactions négatives maintiennent la stabilité.

Des rétroactions positives et négatives sont à l'œuvre dans tous les systèmes naturels et humains. Elles sont à l'origine des cycles naturels, économiques et sociopolitiques. La plupart de ces cycles sont organisés en quatre grandes phases : une phase de croissance, qui conduit à une expansion et à une augmentation de la complexité sous l'effet de rétroactions positives ; une phase d'équilibre, période de stabilité dominée par des rétroactions négatives, qui laisse s'installer une certaine rigidité ; une phase de dissolution, lorsque le système s'effondre suite à une perturbation extérieure qui a déclenché des rétroactions positives qui poussent le système en dehors de son domaine de stabilité ; et une phase de réorganisation, pendant laquelle une nouvelle organisation est créée pour amener le système vers un nouveau domaine de stabilité parmi les nombreux domaines possibles. Le hasard peut déterminer la direction prise au cours de cette phase d'innovation, donc la trajectoire suivie au cours de l'ensemble du cycle suivant.

Le climat est caractérisé par de nombreux cycles, dont le plus connu est le El Niño avec une périodicité de sept à huit années. Le système économique moderne connaît les cycles de Kondratieff, dont la périodicité la plus longue est de l'ordre de cinquante années. Les écosystèmes naturels sont gouvernés par des cycles de succession végétale, interrompus de manière épisodique par des perturbations extérieures telles que des feux, des catastrophes climatiques ou l'invasion d'espèces exotiques. Les empires connaissent la décadence et l'effondrement après une période glorieuse d'expansion et d'apogée, avec de grandes variations dans la longueur de ce cycle. Ces changements cycliques sont le résultat d'une combinaison de processus internes au système et de perturbations extérieures, abruptes et épisodiques.

Lorsqu'une société se trouve dans une phase de croissance ou d'équilibre, sa population et son gouvernement commettent de manière récurrente l'erreur de penser que la situation actuelle se prolongera indéfiniment. Cette conviction engendre une grande réticence à adapter son comportement à de nouvelles circonstances ou à anticiper une crise probable. Ce manque de flexibilité et de volonté de changement ne fait que précipiter la crise. La fin de la période de croissance ou de stabilité entraîne inévitablement surprise et déception.

Pourtant, la mise en œuvre anticipative de stratégies d'adaptation peut diminuer la sévérité de la crise, minimiser la douleur associée à la rupture avec l'ancien régime et adoucir la transition vers une nouvelle organisation, qui s'accomplit alors de manière volontaire et contrôlée. Cette capacité d'anticipation est un atout formidable, réservé aux êtres humains. Ceux-ci bénéficient, en effet, d'un pouvoir d'analyse dont le système climatique ou les écosystèmes sont privés. Reste aux sociétés humaines à tirer tout le parti qu'elles peuvent de cet atout, ce qu'elles ne font pas toujours avec succès : de nombreuses forces telles que la défense de privilèges ou de bénéfices acquis introduisent de la rigidité dans le système, ce qui peut lui être fatal.

Instabilité et co-évolution des systèmes naturel et humain

Même si les sociétés humaines et les écosystèmes naturels sont étroitement liés, ils forment deux sous-systèmes bien distincts au sein du système terrestre. Chacun est animé par sa propre dynamique et gouverné par des règles spécifiques. Dans les deux cas, le changement est la règle. Avant l'apparition de la vie sur Terre, la planète n'était déjà pas statique : des processus géologiques modifiaient la surface terrestre, le vent et l'eau érodaient le sol, les glaciers creusaient des vallées. L'évolution biologique, qui a donné lieu à l'extraordinaire diversité de la vie animale et végétale, et ensuite l'évolution sociale et culturelle de l'humanité, ont poursuivi cette histoire en mouvement perpétuel. La notion d'équilibre statique du système terrestre est une construction de l'esprit. Le changement est essentiel à la survie de la plupart des systèmes complexes animés. Un fleuve subsiste comme fleuve car, à l'amont, il est constamment alimenté par des ruisseaux et, à l'aval, ses eaux sont absorbées par les océans.

Les systèmes naturels et humains co-évoluent, c'est-à-dire qu'ils changent ensemble, en s'adaptant de manière continue aux changements de l'autre système. Un changement dans le comportement d'un système introduit une modification dans l'environnement de l'autre, le forçant à changer lui aussi. La nature et les sociétés humaines sont des systèmes complexes adaptatifs, fréquemment poussés loin de l'équilibre, à la recherche d'une nouvelle stabilité.

Jusqu'au XIXe siècle, l'environnement naturel a joué un rôle dominant en influençant les organisations sociales et économiques des sociétés humaines. Au XXe siècle, la technologie a pris le dessus et acquis une influence plus élevée que la nature, par sa capacité de transformer en profondeur la vie quotidienne et l'environnement naturel. Avec le risque croissant de crises environnementales globales, le XXIe siècle pourrait bien voir une nouvelle modification de l'équation, avec une influence à nouveau plus importante de l'environnement (sous sa forme modifiée), tandis que les institutions politiques, économiques et sociales qui peuvent être à la base d'une nouvelle évolution des sociétés humaines acquerraient un rôle déterminant dans la mise en œuvre des stratégies adaptées aux nouveaux défis environnementaux créés par l'activité humaine.

L'incidence élevée du paludisme (malaria), une maladie tropicale qui cause d'un à trois millions de morts chaque année, illustre bien le phénomène de co-évolution, dans ce cas-ci entre les moustiques et les habitants des régions tropicales. Les parasites du paludisme (*Plasmodium falciparum, vivax, malariae* et *ovale*) sont transmis à l'homme par les piqûres de certains moustiques, dont le notoire *Anopheles gambiae* qui sévit en Afrique. Dans les zones montagneuses du Vietnam, les populations tribales indigènes n'ont jamais été très affectées par le paludisme. En effet, elles ont adapté leur habitat de façon à limiter les risques de piqûre par les moustiques vecteurs du parasite. Ces moustiques piquent surtout la nuit, se déplacent au niveau du sol, préfèrent le bétail à l'homme et fuient la fumée. Les maisons traditionnelles des tribus de montagne sont surélevées, le bétail placé sous la maison pendant la nuit, et la cuisine faite à l'intérieur des maisons, de façon à produire de la fumée.

La mise au point par les populations locales de ces stratégies efficaces de lutte contre le paludisme est particulièrement étonnante lorsque l'on sait que ces populations n'avaient pas établi le lien entre les piqûres de moustique et la maladie. Au contraire, jusqu'à une période récente, elles étaient convaincues que le paludisme était causé par les mauvais esprits ou l'eau contaminée. Une série d'adaptations au cours des siècles ont amené ces populations à remarquer que les familles qui avaient organisé leur habitat selon ces règles avaient une plus grande chance de survie que les autres. Cette tradition culturelle est donc le produit d'une adaptation de l'homme à la nature, non par des décisions conscientes et intentionnelles, mais du fait d'une série de petits changements culturels plus ou moins aléatoires, suivis d'une reproduction des stratégies les plus adaptées.

Lorsque les zones montagneuses du Vietnam ont été colonisées par des groupes ethniques originaires des plaines, dont l'organisation traditionnelle de l'habitat était différente, le paludisme a frappé ces migrants qui ne bénéficiaient pas de plusieurs siècles d'adaptation culturelle dans cet environnement.

En 1939, des scientifiques ont inventé le DDT, un insecticide efficace contre les moustiques vecteurs du paludisme et facile à produire. Des campagnes nationales, soutenues par l'Organisation mondiale de la santé, ont promu la pulvérisation du DDT sur les murs des maisons, où les moustiques avaient pour habitude de se poser. Une application de DDT répétée à quelques mois d'intervalle a été suffisante pour diminuer considérablement la population des moustiques. Ces campagnes ont débuté dans les années cinquante et le paludisme avait presque disparu à la fin des années soixante.

Mais les moustiques ont réapparu quelques années plus tard, le paludisme avec eux, qui affecte aujourd'hui autour de 400 millions de personnes chaque année. Cette résurgence de la maladie s'explique par une adaptation des moustiques au nouvel environnement créé par l'homme. D'une part, certains moustiques ont bénéficié d'une mutation génétique qui les rend insensibles au DDT. Cette caractéristique génétique leur confère un avantage reproductif considérable face à leurs congénères dans un nouvel environnement riche en DDT. Étant donné que, pour la plupart des espèces de moustiques, plusieurs générations se succèdent sur une seule saison, ce gène résistant au DDT s'est rapidement transmis au sein de la population de moustiques. D'autre part, les moustiques vecteurs du paludisme ont adapté leur comportement en choisissant non plus les murs des maisons mais la végétation environnante comme aire de repos, là où le DDT ne pouvait pas être pulvérisé (la découverte d'effets néfastes du DDT sur les populations d'oiseaux et la persistance de substances chimiques dérivées dans la chaîne alimentaire ont finalement entraîné son interdiction dans de nombreux pays dès les années soixante-dix).

Dans la phase suivante de co-évolution, l'homme a de nouveau adapté ses stratégies de lutte contre le paludisme, pour répondre à l'évolution génétique et comportementale des moustiques. L'attaque a cette fois-ci été dirigée contre les parasites qui transmettent la maladie et qui affectent l'homme par le biais de la salive des moustiques, simples vecteurs du parasite, c'est-à-dire son moyen de transport d'un hôte à l'autre. Des médicaments antipaludéens ont été mis au point, tels que la Chloroquine.

Là encore, le parasite a trouvé la parade en co-évoluant par des mutations génétiques. Alors que la résistance à la Chloroquine n'est apparue qu'après vingt ans d'utilisation à grande échelle du médicament, quelques années ont suffi pour qu'une résistance à des médicaments plus récents apparaisse. Les parasites continuent de développer des résistances à des nouveaux médicaments introduits.

Des stratégies plus simples de lutte contre le paludisme sont utilisées depuis des décennies. En particulier, chaque famille exposée à la maladie supprime, dans la mesure du possible, tous les points d'eau dans lesquels les moustiques se reproduisent – petite flaque boueuse dans l'ornière d'un camion, réservoir d'eau potable dans une maison, etc. – et se réfugie la nuit derrière des moustiquaires imprégnées d'insecticides.

Plus récemment, les sociétés humaines se sont dotées d'un nouvel outil puissant dans leur lutte adaptative contre le paludisme, avec le décryptage du génome des moustiques vecteurs de la maladie et du parasite responsable de la maladie. Des laboratoires de biotechnologie préparent notamment un moustique génétiquement modifié qui serait incapable de transmettre le parasite à l'homme et interromprait donc le cycle de la transmission de la maladie.

Propriétés émergentes des systèmes complexes : des actes individuels à l'échelle planétaire

Une des propriétés remarquables des systèmes complexes adaptatifs tels que la nature et les sociétés humaines provient de ce qu'une multitude de petites adaptations des composantes de ces systèmes donne lieu à une réorganisation du système dans son ensemble, dont le comportement devient alors une « propriété émergente ». La conscience est une propriété émergente de la physiologie humaine. Un changement dans l'environnement naturel de la planète est une propriété émergente des interactions locales entre l'activité humaine et les processus physiques, chimiques et biologiques qui régulent la nature.

Si chacun appréhende les conséquences de ses actions sur un système au niveau hiérarchique auquel il opère (sa famille, son entreprise, son environnement naturel immédiat), il est plus difficile en revanche d'anticiper les conséquences qu'aura un nombre élevé d'actions similaires aux niveaux hiérarchiques supérieurs (la population d'un pays, l'économie mondiale, l'environnement planétaire). Dans certains cas, la somme d'un grand nombre d'actions individuelles peut conduire de manière non intentionnelle et inconsciente à un effet inattendu et indésirable (une explosion démographique, une crise économique, la déforestation tropicale, une pollution atmosphérique dangereuse pour la santé...).

Ce phénomène d'émergence à des niveaux d'organisation plus élevés du système est l'une des raisons pour lesquelles un effort important doit être fait dans la compréhension de la nature des changements environnementaux : il s'agit d'anticiper les conséquences de ceux-ci au niveau d'une région ou de la planète. En l'absence d'un tel investissement scientifique, une réorganisation presque imperceptible du système complexe formé par la nature et l'humanité pourrait amener ce système au-delà d'un seuil où des rétroactions positives seraient à l'origine d'une accélération brutale d'un changement dans l'environnement naturel et, peut-être, dans l'habitabilité de la planète pour l'homme.

Une mauvaise surprise de ce type représente bien un scénario du pire, mais n'est pas à exclure. De rapides réorganisations du système terrestre se sont déjà produites dans le passé, alors que la planète n'était pas encore soumise à des perturbations humaines importantes. Ce fut le cas il y a 12 000 ans, au cours de la dernière déglaciation, lors de l'oscillation climatique du Younger Dryas, qui fut associée à un refroidissement brutal – en une ou deux décennies – du climat de tout l'hémisphère Nord. La cause probable de ce changement d'état du système climatique fut un afflux massif d'eau de fonte des glaciers en recul. En atteignant l'Océan au niveau de Terre-Neuve, cette masse d'eau douce a ralenti le grand courant chaud de l'Atlantique Nord par une diminution de la salinité, donc de la densité de l'eau de mer.

La naissance d'un nouveau concept : le développement durable

Le Britannique Chris Patten, ancien commissaire européen aux Relations extérieures, explique que le développement durable, c'est vivre sur la planète Terre avec l'intention d'y rester pour toujours plutôt que d'y faire une simple excursion pendant le week-end. Plus formellement, le développement durable a été défini comme un développement qui répond à nos aspirations présentes tout en préservant la capacité des générations futures à se développer.

Ce concept a été officiellement introduit en 1987 par la Commission mondiale sur l'environnement et le développement des Nations unies, présidée par la Norvégienne Gro Harlem Brundtland, ancienne Premier ministre puis directrice générale de l'Organisation mondiale de la santé. Le concept de développement durable a, depuis, été largement repris par la société civile ainsi que par le monde politique et celui des affaires. Ce concept est devenu le flambeau des institutions qui font d'un développement économique sans dégradation environnementale et avec de multiples bénéfices sociaux leur objectif.

L'ambiguïté de l'expression « développement durable » et l'absence de prescription pour réaliser les promesses portées par le concept ne sont sans doute pas étrangères à son succès. Les pays industrialisés y voient l'exigence de mieux gérer l'environnement chez eux, sans affecter leur croissance économique, tout en mettant un frein à la disparition des forêts tropicales et des espèces menacées loin de chez eux. Les pays en voie de développement y voient une priorité économique, avec ensuite des exigences environnementales : éradiquer la pauvreté et rattraper leur retard économique sur les pays industrialisés sont des préalables à une meilleure gestion de l'environnement. L'accent a d'ailleurs sensiblement évolué entre 1992, lors de la Conférence des Nations unies de Rio de Janeiro sur l'environnement et le développement (UNCED), au cours de laquelle la protection de l'environnement était l'objectif prioritaire, et au Sommet mondial sur le développement durable de Johannesburg, en 2002, au cours duquel la réduction de la pauvreté est devenue l'objet de toutes les attentions.

Le développement durable est avant tout une question de choix politique entre des objectifs environnementaux, économiques et sociaux. Il n'est pas possible de définir une méthode opérationnelle pour atteindre un développement durable sans exprimer un ordre de préférence ou de priorité pour des facteurs tels que la productivité biologique, la diversité génétique, la stabilité du climat, la résilience des écosystèmes (leur capacité à surmonter les changements), le maintien d'un stock constant de ressources naturelles, la satisfaction des besoins humains de base, l'équité entre groupes sociaux, l'augmentation des biens et des services, la diversité culturelle, la stabilité des institutions, la justice sociale et la participation de la société civile aux décisions politiques.

Or toute hiérarchisation de ces facteurs est nécessairement subjective et dépendante d'un contexte social et culturel particulier. Dans l'industrie automobile, une augmentation de la sécurité des nouvelles voitures s'accompagne souvent d'une augmentation de leur masse, donc de leur consommation en essence et de leurs émissions en dioxyde de carbone. Où mettre la priorité et à qui revient de faire ce choix : l'industrie, le consommateur, l'État ou les générations futures représentées par certains segments de la société civile ? La question est d'autant plus délicate que ces différents acteurs profiteront à des degrés divers d'un choix en faveur de plus de sécurité ou de moins de pollution.

Le concept de développement durable est une tentative de concilier deux des grands mythes de la civilisation occidentale : le mythe du progrès continu et indéfini, et celui des sociétés originelles vivant en harmonie avec une nature vierge. Les contradictions déjà présentes dans la Genèse sur le rôle de l'homme par rapport à la nature seraient ainsi réconciliées : l'homme doit à la fois exploiter la nature, pour assurer son développement, tout en étant son gardien, de façon à la maintenir dans son état originel. Par les contradictions qu'il porte, le concept est à la fois pauvre sur le plan théorique – il ne suggère aucune représentation des relations entre l'humanité et la nature – et muet sur les moyens à mettre en œuvre pour réaliser un développement durable.

La raison de son succès vient du fait qu'il s'inscrit dans la logique de la modernité et de la pensée rationaliste et anthropocentrique qui a dominé le mode industriel de développement depuis deux siècles, tout en poussant cette logique au-delà des pratiques habituelles. Le concept de développement durable rejette l'idée de croissance économique zéro et prône, au contraire, un rôle approprié pour les forces du marché dans le processus de développement, la nécessité de fonder un processus politique sur les intérêts de chacun et le besoin d'éradiquer la pauvreté, vue comme une cause importante de la dégradation des ressources naturelles. Rien de tout ceci n'est de nature à effrayer l'*establishment*. Cela permet en revanche d'exprimer une volonté de faire mieux, en rationalisant non seulement le processus de développement mais également son impact environnemental et social. Là réside la force pragmatique du concept de développement durable.

Pour donner corps à ce concept, la science économique a intégré les leçons de l'écologie, en fondant la sous-discipline de l'« économie environnementale », qui opère au sein de l'économie néoclassique. Les écologues se sont intéressés à l'économie et ont fondé, quant à eux, l'« économie écologique », en y voyant une nouvelle science qui dépasse le cadre étroit des postulats de l'économie.

Une des préoccupations fondamentales de ces deux sous-disciplines est d'estimer la valeur financière des services fournis à l'homme par la nature et d'identifier des mécanismes de marché par lesquels cette valeur peut être prise en compte dans les décisions économiques courantes. La réflexion porte sur la création d'incitants économiques pour la protection de l'environnement en intégrant dans les prix des biens la valeur ou l'importance réelle des services que les écosystèmes assurent. Alors que les services fournis par l'environnement sont souvent considérés comme des biens publics, donc gratuits, il est possible de faire payer les utilisateurs de ces services – en particulier lorsque cette utilisation diminue ou dégrade la ressource – et de compenser financièrement ceux qui protègent et entretiennent ces ressources.

Une politique nationale ou locale peut exiger du gestionnaire d'une usine polluante qu'il compense les populations avoisinantes pour les dommages subis. Cela incitera le pollueur à contrôler sa pollution pour diminuer ses coûts. Une institution publique peut payer les propriétaires de parcelles sur une zone boisée de collecte des eaux – la ville de New York le fait depuis plus de dix ans –, afin qu'ils ne convertissent pas leurs terres vers d'autres utilisations qui auraient pour effet de diminuer le rôle de filtration de l'eau par l'écosystème naturel.

La mise en œuvre d'un « marché » qui intègre l'impact environnemental des activités de production et de consommation passe par des politiques économiques fondées sur des taxes et des subventions (écotaxes, écoboni), sur des régimes légaux qui attribuent la propriété des écosystèmes et de leurs services à des entités définies, sur des échanges marchands de permis de polluer ou de droits d'utilisation de ressources rares (quotas de pêche échangeables, permis de chasse monnayables) et l'intégration de la dégradation environnementale comme passif dans la comptabilité des performances économiques d'une entreprise ou d'un pays. En d'autres termes, selon l'expression du biologiste américain Edward O. Wilson, il faut ajouter un pouce vert à la main invisible du marché de l'économiste Adam Smith.

Depuis plus d'une décennie, les sphères politique et économique ont décliné l'exigence de développement durable à travers une série de thèmes tels que la responsabilité sociale des entreprises (activités volontaires des entreprises pour intégrer des préoccupations sociales et environnementales dans leurs opérations), la stratégie d'éco-efficacité (recherche d'améliorations environnementales tout en augmentant le profit, par une réduction des coûts) ou la triple *bottom line* (mesure des performances d'une entreprise sur les plans économique, environnemental et social). Cela a donné lieu à des mesures aussi concrètes que le recyclage des déchets, l'investissement dans la recherche de technologies « propres », la certification écologique de ressources sensibles, les labels « verts » et les produits « bio ».

Le succès de ces innovations provient d'un équilibre judicieux à trouver entre de nouvelles règles contraignantes, définies par l'État, et des mesures volontaires prises par les entreprises, ainsi qu'entre des sanctions négatives et des motivations positives (amélioration de l'image des institutions qui adoptent des pratiques écologiques et sociales). Un contexte réglementaire rigide et contraignant serait contre-productif car il ne ferait qu'accélérer les délocalisations d'entreprises vers des pays aux législations environnementales plus laxistes. Il serait, à l'inverse, naïf de penser que toutes les entreprises vont s'auto-imposer les contraintes associées à un développement plus propre et équitable.

Le concept de développement durable pose plus de questions qu'il n'offre de réponses. En particulier, une crise environnementale est-elle fondamentalement le produit d'une crise de l'organisation sociale et de la culture d'une société ? Ou est-ce simplement un problème qui sera surmonté en concevant ou en inventant des technologies plus appropriées ? La solution consiste-t-elle à accélérer la force motrice de ce développement – l'innovation technologique – puis à adapter l'organisation sociale à ce changement technologique ? Ou faut-il, au contraire, ralentir le développement motivé par la recherche constante de plus d'avoir et de pouvoir, en modifiant en profondeur les valeurs portées par la culture ?

L'examen de quelques modèles et concepts simples qui représentent les causes de la dégradation environnementale apportera un éclairage important à ces questions.

Chapitre 3

Les mécanismes de la dégradation environnementale

Les différentes conceptions scientifiques relatives aux interactions entre les activités humaines et leur environnement naturel aident à mieux comprendre la nature profonde des changements environnementaux contemporains. Mais, au-delà de ces conceptions générales, quels mécanismes conduisent au changement d'un environnement naturel particulier ? Quelles sont les causes les plus importantes de ces changements et comment ces causes interagissent-elles pour conduire à un changement environnemental ?

Chaque fois qu'une situation particulière est analysée, les causes d'un changement environnemental apparaissent toujours très complexes. Tellement complexes même, qu'il est difficile de déduire des lois générales à partir de cette apparente confusion. Pour mettre en évidence une certaine régularité dans les processus de changements environnementaux, quelques modèles généraux ont été proposés. Un modèle est une représentation simplifiée et idéalisée de la réalité destinée à rendre celle-ci plus compréhensible. Un modèle ne prétend jamais représenter la totalité de la réalité. Il en est une abstraction, une abstraction d'autant plus utile qu'elle parvient à représenter les mécanismes les plus importants qui sous-tendent les changements environnementaux.

Le développement de ces modèles a suivi une progression logique : on a construit des modèles avec deux ou trois variables qui interagissent de manière simple, que l'on a ensuite fait évoluer vers des représentations sur la base d'un plus grand nombre de variables qui interagissent de manière plus complexe. Aucun de ces modèles ne prétend représenter l'ensemble des processus qui conduit à un changement environnemental. Chacun met en évidence un aspect important des processus complexes qui caractérisent l'interaction entre l'activité humaine et son environnement naturel.

Premier modèle : le concept de capital

Un premier modèle formule l'exigence de développement durable sur base du concept de « capital », défini comme une richesse qui génère un flux de biens ou de services. Cette richesse revêt différentes formes. L'ensemble des machines et des infrastructures produites par l'action humaine constitue le « capital artificiel » (ou « capital construit ») : voitures, usines, maisons, autoroutes… L'ensemble des institutions, relations interpersonnelles, règles et normes qui rendent possible la vie en société forme le « capital social » : systèmes juridiques, d'enseignement ou politiques. Le « capital humain », quant à lui, consiste en la capacité de travail de chacun ainsi que l'ensemble des connaissances accumulées par nos sociétés (culture, science et autres savoirs).

La survie et le développement de l'humanité dépendent aussi d'une quatrième catégorie de richesses : le « capital naturel ». La couche d'ozone filtre les rayons ultraviolets qui, sans cela, auraient un impact désastreux sur la santé. Les forêts régulent le cycle de l'eau et offrent un habitat pour des espèces animales et végétales potentiellement utiles pour le développement de nouveaux produits pharmaceutiques. Les éléments nutritifs du sol permettent une production agricole indispensable à la survie des sociétés humaines. Font également partie du capital naturel les gisements de matières minérales et autres ressources naturelles qui contribuent au fonctionnement des économies.

Certains des biens et services fournis par la nature font l'objet d'échanges commerciaux (le pétrole), ce qui n'est pas le cas pour d'autres (l'air). Un pays pauvre dépend plus directement de son capital naturel qu'un pays industrialisé. Par exemple, le paysan du Sahel prélève son eau directement à la rivière voisine alors que, dans les pays industrialisés, cette eau transite par un système technologique d'épuration, de collecte, de filtration et de distribution. Jusqu'il y a peu, les capitaux artificiel et humain étaient les principaux facteurs susceptibles de limiter le développement économique des sociétés humaines. Aujourd'hui, le capital naturel limite également l'expansion économique de nos sociétés.

Imaginons qu'il soit possible de quantifier, selon une unité commune, les différents capitaux. Le développement durable peut alors être compris de trois manières différentes.

La définition faible du développement durable

La première postule que les capitaux naturel et artificiel sont parfaitement substituables l'un à l'autre. Selon cette vision, il est permis de déboiser toute la forêt amazonienne, à condition d'investir les gains obtenus par cette déforestation dans la construction d'autoroutes, d'usines, d'écoles ou d'hôpitaux. La seule condition pour que le développement soit durable est, dans ce cas, que la quantité totale de capital ne diminue pas au cours du temps : capitaux artificiel + humain + social + naturel = constante

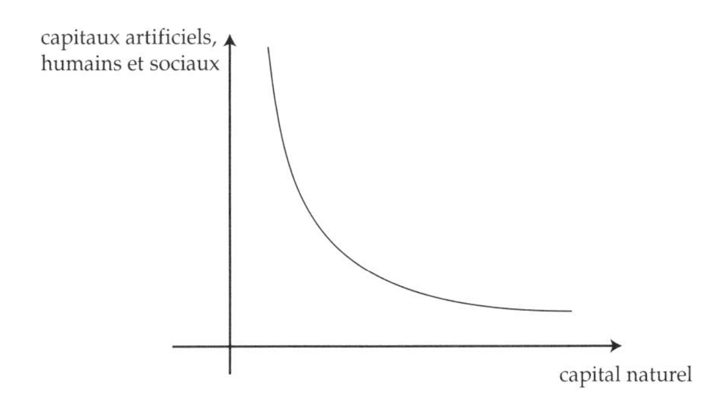

Si cette condition est respectée, les générations futures hériteront d'une quantité de capital équivalente à celle dont les générations actuelles disposent, même si la nature du capital est modifiée. À supposer qu'il soit possible de substituer totalement une forme de capital à l'autre, on ne viole pas le principe du développement durable.

Ce modèle, connu comme la « définition faible » du développement durable, est défendu par les plus optimistes, ceux qui croient ardemment au pouvoir de la technologie. Mais il paraît irréaliste, car il ignore le caractère irréversible de certaines modifications écologiques. Aucun artifice technologique ne pourra, en effet, remplacer la beauté du tigre du Bengale ou du panda après leur extinction. La déforestation de l'entièreté de la forêt amazonienne aurait des conséquences climatiques telles qu'au mieux une savane à la végétation clairsemée pourrait repousser là où aujourd'hui existe une forêt dense et riche en biodiversité.

La foi en une substitution parfaite entre les différentes formes de capital ignore aussi les multiples fonctions qu'exerce le capital naturel. Une même forêt fournit du bois, un espace récréatif, abrite une faune et une flore diverses, protège le sol contre l'érosion, joue un rôle important dans les cycles du carbone, transpire de la vapeur d'eau qui est ensuite recyclée en pluies, etc. Une autoroute, en revanche, permet une circulation rapide de nombreux véhicules transportant personnes et marchandises, mais ses bienfaits se limitent en général à cela.

En outre, le capital naturel a pour caractéristique une grande diversité, qui est le produit de trois milliards d'années d'évolution biologique. La faune qui réside dans quelques centimètres carrés de sol forestier est plus diverse que le parc automobile de la planète entière. Or, dans la nature, la diversité est une grande source de résilience face aux perturbations extérieures : c'est ce qui lui permet de récupérer après ces perturbations. Il faut donc au moins ajouter à la définition « faible » du développement durable la condition que le capital naturel soit maintenu au-dessus d'un niveau minimum, nécessaire au maintien des services essentiels fournis par les écosystèmes.

Par ailleurs, la capacité de remplacer du capital naturel par du capital artificiel est un privilège des sociétés et des classes sociales à revenus élevés. Consommer une limonade produite par un procédé industriel et vendue en bouteille car l'eau de rivière est polluée est une alternative technologique que peuvent se permettre les habitants des nations industrialisées, mais qui est exclue pour les paysans des pays pauvres.

La croissance zéro

Une forme alternative de développement durable reconnaît que les capitaux naturels et artificiels ne peuvent être ni totalement ni parfaitement substitués l'un à l'autre. La condition d'un développement durable devient donc que la quantité de capital naturel ne soit pas modifiée au cours du temps par les activités humaines : capital naturel = constante.

Or le développement économique est fondé sur la substitution d'une ressource par une autre. On parle en effet de « métabolisme » industriel : on consomme du charbon, du minerai de fer et de l'énergie pour produire de l'acier. Donc, pour ne pas diminuer le capital naturel, il faut également maintenir le capital artificiel constant. Selon cette position défendue par les puristes de la préservation de la nature, le développement durable implique nécessairement l'absence de toute expansion économique. C'est la « croissance zéro ».

Ce modèle, connu comme la « définition forte » du développement durable, est socialement irréalisable. En effet, l'impératif moral de supprimer la pauvreté extrême dont souffre une part importante de la population des pays en voie de développement ne pourrait être réalisé que par la redistribution des richesses existantes. Cela entraînerait une diminution significative du train de vie des pays riches : ils seront donc peu enclins à promouvoir ce mode de développement.

Les situations *win-win*

Dans certaines situations, les capitaux naturels et artificiels sont complémentaires : l'augmentation d'un type de capital s'accompagne de l'augmentation de l'autre type. Les anglophones parlent de situations *win-win* : on gagne sur les tableaux environnemental et socio-économique.

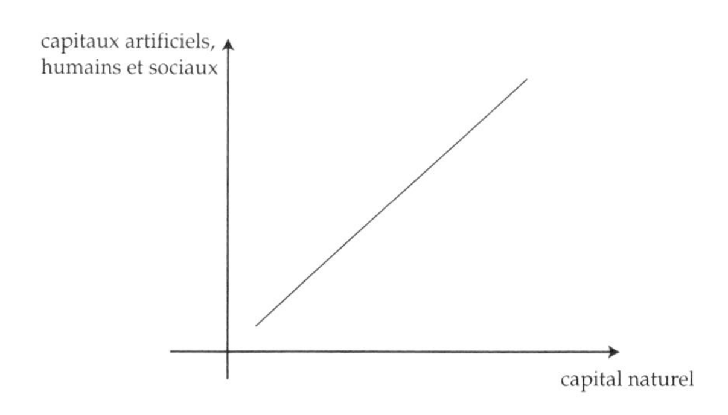

L'agroforesterie est une technique de production agricole qui reproduit la diversité des systèmes naturels en mélangeant des cultures avec un couvert arboré et des plantes naturelles. Cette technique exploite les synergies entre différentes espèces végétales ainsi qu'entre pratiques agricoles et forestières. Par exemple, une plantation d'arbres dont on exploite les fruits ou le bois projette de l'ombre sur des parcelles cultivées à leurs pieds, ce qui favorise le développement de certaines cultures. Des pâtures alternent avec les cultures afin de produire un engrais organique. Les plantations en espèces d'arbres ou arbustes utiles peuvent être disposées en haies le long des champs afin de protéger du vent les parcelles cultivées et offrir un habitat favorable à certaines espèces animales et à des insectes pollinisateurs. Ces pratiques visent à augmenter la diversité d'un terroir tout en intégrant cultures, élevage et foresterie. Certaines plantations d'arbres fruitiers génèrent plusieurs biens et services fournis par une forêt naturelle tout en apportant nourriture et activité économique liée à la transformation et à la commercialisation des récoltes. L'écotourisme est un autre exemple dans lequel la protection de la nature va de pair avec le développement économique.

Des exemples de situations *win-win* parfaites sont rares, car on ne peut jamais exclure qu'un projet de développement ait des conséquences non intentionnelles et imprévisibles, néfastes pour certains compartiments d'un écosystème. Un barrage hydraulique, par exemple, augmente les capitaux naturel et artificiel par la création d'une réserve d'eau à usage domestique ou industriel, par la production d'énergie, en rendant possible l'irrigation de terres agricoles voisines et en contrôlant le débit à l'aval du cours d'eau. Des avantages secondaires des barrages résident dans les nouvelles opportunités de pêche dans le bassin de retenue, la possibilité d'abreuver du bétail ou la création d'un espace récréatif.

Mais les barrages sont aussi la source de problèmes écologiques et sociaux liés à l'inondation par les eaux du barrage de terroirs parfois habités, riches en forêts ou en sites archéologiques. Le déplacement des populations résidant dans la zone inondée et l'impact environnemental de ces populations là où elles sont réinstallées représentent des coûts sociaux et écologiques non négligeables.

D'autres effets environnementaux des barrages sont positifs ou négatifs selon les points de vue et les situations. Par exemple, les eaux en aval du barrage sont plus pauvres en limon et en éléments nutritifs : les canaux d'irrigation se rempliront moins rapidement de sédiments et le traitement de l'eau potable sera moins coûteux. Le barrage évite les inondations catastrophiques qui détruisaient les cultures et les infrastructures. L'apport en eau sera régulier et prévisible.

Mais le limon riche que déposaient sur les champs ces inondations devra être remplacé par d'autres formes de restauration de la fertilité des sols agricoles, notamment par un apport en engrais chimiques. Le coût que cela représente risque de ne pas pouvoir être supporté par les agriculteurs les plus pauvres. Les pêcheurs dans l'estuaire à l'aval du barrage subiront une diminution de la population de poissons, qui souffriront de l'appauvrissement en éléments nutritifs des eaux et de l'interférence du barrage avec leur migration le long du fleuve. La végétation naturelle à l'aval du barrage risque d'être profondément modifiée, ce qui peut avoir des conséquences négatives pour la foresterie, par exemple.

L'expérience montre qu'une prise en compte des effets environnementaux des barrages dès la conception du projet peut, par une bonne gestion, maximiser les effets positifs et minimiser les effets négatifs tant sur l'environnement que sur les populations voisines. Dans le passé, la seule dimension économique des barrages a trop souvent guidé les décisions sur ces projets. Les effets environnementaux étaient considérés seulement après la mise en route du barrage, avec des tentatives de remédiation une fois les problèmes constatés. Aujourd'hui, même si une évaluation de l'impact environnemental de telles infrastructures fait partie de toute procédure de décision d'investissement dans la construction de barrages, quelques grands projets mal conçus sont encore réalisés.

De la réflexion sur le développement durable en termes de transformation des capitaux artificiel, humain, social et naturel on peut tirer deux leçons importantes. La première est que le développement durable nécessite la recherche permanente de compromis entre le progrès socio-économique et la préservation de l'environnement. Les positions extrêmes qui consistent à promouvoir une substitution de la totalité du capital naturel par du capital artificiel ou, au contraire, à bannir toute diminution du capital naturel ne sont pas réalistes. Il faut plutôt rechercher un niveau optimal de transformation du capital naturel en capital artificiel pour satisfaire aux aspirations des sociétés humaines tout en préservant les biens et services vitaux fournis par les écosystèmes.

La seconde leçon concerne les situations dans lesquelles le développement économique va de pair avec le maintien, voire l'amélioration de fonctions importantes des écosystèmes. La réalisation de tels projets exige de prendre en compte l'ensemble des facteurs environnementaux, et de les éclairer par une connaissance scientifique aussi complète que possible des processus écologiques impliqués. Dans la recherche du juste équilibre entre bienfaits et coûts économiques et environnementaux, il n'existe pas de solution « clé en main » : chaque situation est différente. Il existe toutefois des leçons à tirer de chaque erreur et de chaque succès du passé. Il faut notamment évaluer le niveau maximum d'utilisation d'un stock de capital naturel à ne pas dépasser.

Deuxième modèle : la capacité de charge
Combien de personnes la Terre peut-elle porter ?

Le concept de « capacité de charge » représente la limite qu'impose l'environnement naturel à la population qui utilise les biens et services fournis par cet environnement. Ce concept mesure la population maximale d'une espèce donnée qu'un écosystème peut nourrir de manière durable. Cette population doit pouvoir occuper cet habitat pendant une période de temps longue sans diminuer la capacité de cet habitat à supporter une population équivalente dans le futur.

Cette notion a été développée par les gestionnaires de pâturages pour estimer le nombre de têtes de bétail qu'ils pouvaient maintenir par hectare. On parle de capacité de charge « écologique » pour décrire le nombre maximum d'animaux au-delà duquel le pâturage se dégrade, et de capacité de charge « économique » pour désigner le nombre d'animaux pour lequel la productivité en lait ou en viande par tête est la plus élevée. Cette seconde capacité de charge est plus basse que la première : l'« optimum économique » implique une densité de bétail plus faible que le « maximum écologique » qui peut être maintenu de manière durable.

Le concept de capacité de charge élargi à la population humaine décrit la population maximum qui peut satisfaire à ses besoins de manière durable à partir du flux de biens et de services que le capital naturel d'une région, ou de la planète dans son entièreté, peut générer. Les nombreuses estimations de la population humaine que la planète peut supporter de manière durable varient, selon les hypothèses sur lesquelles repose ce calcul, entre 7,7 et 12 milliards de personnes. À titre de comparaison, les projections de la taille probable de la population mondiale en 2050 avoisinent les 9 milliards de personnes. Bien que ces deux types d'estimation souffrent de nombreuses incertitudes et approximations, elles suggèrent néanmoins que l'humanité pourrait s'approcher de la capacité de charge de la planète dans les décennies à venir.

Des chercheurs ont aussi estimé que 40 % de la production biologique des écosystèmes terrestres de la planète ont déjà été appropriés par la population humaine au bénéfice de sa consommation. D'autres études ont estimé l'« empreinte écologique » de l'humanité, c'est-à-dire la superficie des terres et océans productifs nécessaire à la production des ressources consommées et à l'assimilation des déchets générés par l'humanité. Ces études estiment que l'empreinte écologique de l'humanité a dépassé, vers le début des années quatre-vingt, la superficie de la planète. En 2000, ce dépassement serait de l'ordre de 20 %. L'humanité consommerait donc son capital naturel plutôt que de vivre des intérêts que celui-ci rapporte. Ces calculs semblent donner raison aux pessimistes.

Les optimistes ne manquent pas d'arguments pour remettre en question ces calculs simples. Le concept de capacité de charge appliqué à une population animale ne pose pas de problème particulier. Il est en revanche plus difficile de l'appliquer à l'espèce humaine, que ce soit pour un écosystème spécifique ou à l'échelle de la planète. Contrairement à ce que l'on trouve dans un troupeau de vaches ou de moutons, la consommation en ressources naturelles diffère selon les êtres humains, et évolue au cours du temps, en quantité et en composition. Les sociétés humaines innovent constamment : de nouvelles technologies de production sont conçues, des modes de gestion plus respectueux de l'environnement appliqués, des institutions sociales qui régulent l'accès aux ressources mises en place, et les préférences des consommateurs évoluent. Enfin, les échanges internationaux de marchandises et de personnes redistribuent en permanence tant la production que la consommation. Ces diverses innovations repoussent les limites fixées par les écosystèmes à l'expansion de la population humaine et augmentent la capacité de charge de la planète. Le concept de capacité de charge doit donc prendre en compte la consommation et la technologie des populations concernées.

Troisième modèle : l'impact écologique d'une population

Les facteurs qu'ignore le concept de capacité de charge sont pris en compte dans une tentative de représentation simple de l'impact écologique d'une société. Selon ce modèle, cet impact est le produit du nombre de personnes utilisant un écosystème multiplié par la consommation moyenne en ressources de chaque personne et multiplié encore par l'impact environnemental des technologies utilisées pour produire les biens consommés : Impact écologique = Population x Consommation x Technologie.

Ce modèle est connu sous l'expression I = PAT (dans laquelle « consommation » est remplacé par l'expression anglophone *affluence*).

Si l'on applique cette formule à l'impact écologique de la consommation de bière, selon l'exemple de Commoner, on obtient :

I (nombre de bouteilles de bière vides jetées)
= P (nombre d'habitants)
x A (litres de bière consommés par habitant)
x T (nombre de bouteilles par litre de bière).

Les variables « nombre d'habitants » et « litres de bière » s'annulent, car elles apparaissent chacune une fois au numérateur et une fois au dénominateur, à droite de l'égalité. Les deux termes de l'égalité ne comprennent donc que la variable « nombre de bouteilles » (c'est ce qu'on appelle une identité, c'est-à-dire une expression mathématique dans laquelle le même terme se retrouve à gauche et à droite de l'égalité).

La vertu principale de cette identité est de mettre en évidence l'interaction entre certains des facteurs qui conduisent à un impact de l'activité humaine sur l'environnement. Si la croissance de la population humaine est souvent présentée comme la cause principale de la dégradation de l'environnement, le modèle rappelle qu'il faut multiplier chaque individu par sa consommation pour estimer son impact environnemental.

Ainsi, si la croissance démographique au Burkina Faso est trois fois plus élevée qu'aux États-Unis, un Burkinabé consomme en moyenne – selon une estimation grossière – de l'ordre de cinquante à cent fois moins d'énergie qu'un Américain. Il faut également multiplier ces deux termes par l'impact environnemental des technologies de production utilisées. La houe qu'utilise le Burkinabé pour cultiver son champ et l'âne qui transporte ses récoltes vers le marché local ont un impact environnemental considérablement moindre que les usines et le système de transport intercontinental qui font partie de la chaîne de production alimentaire des pays développés, ainsi que la Jeep de haut standing qu'utilise la ménagère américaine pour aller faire ses courses.

À l'échelle mondiale, alors que la population a été multipliée par quatre entre 1890 et 1990, la production énergétique a, elle, augmenté d'un facteur seize sur la même période. Le facteur technologique de l'équation IPAT semble donc avoir lourdement pesé au cours du dernier siècle.

La technologie a, cependant, un rôle ambigu dans le modèle. Le progrès technologique a, certes, apporté la pollution des usines à charbon et des voitures individuelles mais aussi, nous rappellent les optimistes, quantité de technologies plus propres et moins consommatrices d'énergie grâce auxquelles l'air des villes des pays riches redevient respirable. Cette ambivalence de la technologie est prise en compte dans le modèle suivant.

Quatrième modèle : la courbe environnementale de Kuznets

Un lauréat du prix Nobel d'économie, Simon Kuznets, a suggéré en 1955 que la disparité entre les revenus de la population d'un pays augmentait, dans un premier temps, avec le développement économique pour ensuite diminuer une fois que le revenu par habitant a dépassé un certain seuil. Cela a donné lieu à une relation en « U » inversé entre le revenu moyen et la disparité entre les revenus.

Cette relation, dont on a, depuis, montré les limites, influence les débats sur le rôle de la croissance économique dans la réduction de la pauvreté. Elle a également donné son nom à une autre courbe qui intéresse davantage notre propos et qui n'a en commun avec la première que la forme en « U » inversé. En raison de cette similitude de forme, elle a été baptisée « courbe environnementale de Kuznets ».

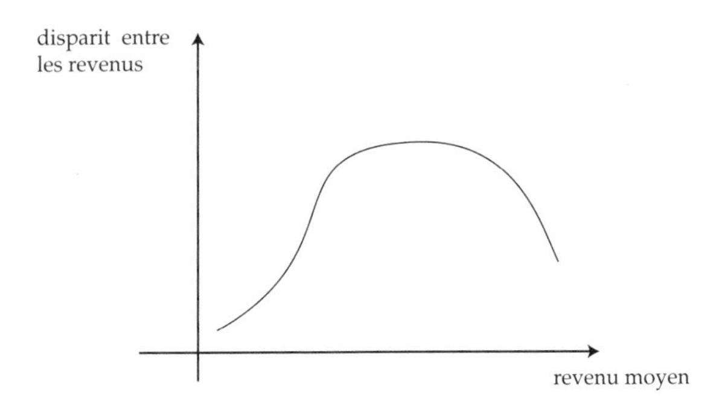

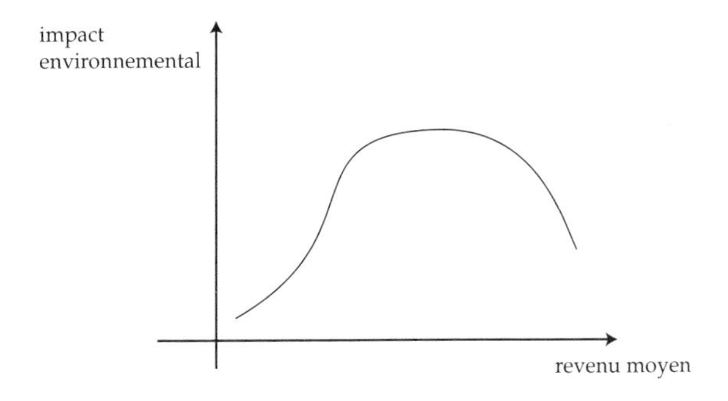

Ce modèle représente une augmentation de l'impact environnemental d'une société aux premiers stades du développement économique et une diminution de cet impact une fois que le revenu par habitant a dépassé un certain seuil.

Selon ce modèle, les pays les moins pollueurs seraient les pays très pauvres, qui ne possèdent ni usines, ni système de transport leur permettant d'avoir un impact environnemental élevé, et les pays les plus riches, qui ont acquis les moyens de développer des technologies propres. En revanche, les pays dont l'impact environnemental est le plus élevé seraient ceux dont les économies sont en transition.

Si ce modèle donne raison aux optimistes, puisque la pollution diminue grâce au progrès technologique généré par la croissance économique, les pessimistes y trouvent également de quoi renforcer leurs convictions. En effet, en plus des économies en transition qui se trouvent déjà dans une phase de pollution élevée, la pollution engendrée par les pays en voie de développement va rapidement augmenter, en même temps que leur développement économique. Or ces pays représentent 80 % de la population mondiale. Une planète dont le climat et les écosystèmes tant terrestres que marins ont été tant modifiés en profondeur par 20 % de sa population dont l'économie était « sale » (les pays industrialisés) alors que 80 % de sa population était « propre » (les pays en voie de développement) a peu de chance de résister lorsque ces pourcentages vont s'inverser.

Polluer pour devenir propre ?

Le modèle de la courbe environnementale de Kuznets est-il confirmé par les observations ? Seules quelques formes de pollution locales qui posent un problème à court terme présentent clairement une forme en « U » inversé en fonction du revenu moyen dans le pays concerné. C'est le cas de la pollution de l'air en milieu urbain, en particulier de la pollution en dioxyde de soufre (SO_2) et en monoxyde de carbone (CO). Celles-ci ont diminué de 66 % entre 1976 et 1998 aux États-Unis, grâce à des technologies qui émettent moins de pollution par unité de production. La contamination de l'eau à usage domestique est, elle aussi, conforme à ce modèle.

En revanche, les émissions en dioxyde de carbone (CO_2), responsables à l'échelle mondiale et à long terme du renforcement de l'effet de serre et du réchauffement climatique global, continuent d'augmenter avec le revenu des pays. On peut postuler qu'un point d'inflexion apparaîtra à l'avenir et que, à long terme, ce type de changement environnemental suivra également une courbe environnementale de Kuznets. Mais rien ne suggère que ce point d'inflexion apparaîtra avant une modification majeure et irréversible des conditions climatiques, dont l'impact socio-économique pourrait être très coûteux.

En ce qui concerne la déforestation, certains pays montrent, à l'échelle de plusieurs décennies, une tendance à la déforestation causée par l'expansion agricole aux premiers stades du développement économique, suivie d'une période de stabilisation du couvert forestier qui résulte d'une augmentation des rendements agricoles plutôt que des superficies cultivées. Ensuite, les terres agricoles sont abandonnées et une reforestation a lieu lorsque l'économie s'industrialise. Cette transition forestière, conforme à la courbe environnementale de Kuznets, est loin cependant de se produire partout. Il s'agit donc d'un modèle contingent, qui décrit une tendance possible sous certaines conditions.

La diminution de certaines formes de dégradation environnementale dans les économies avancées n'est pas un effet spontané de la croissance économique. Elle est, avant tout, la conséquence de politiques environnementales vigoureuses et aussi de la mise au point et de l'adoption de technologies moins polluantes. Elle est la conséquence d'une orientation de la consommation vers des valeurs écologiques, une fois les besoins matériels satisfaits, d'une capacité des consommateurs à payer pour des biens et services respectueux de l'environnement, de l'action de groupes de pression en faveur de la protection de l'environnement et de la capacité des gouvernements à élaborer et à faire respecter une législation environnementale stricte.

Elle résulte également de la délocalisation de certaines industries polluantes des pays riches vers des pays pauvres : difficile alors de conclure que la croissance économique est bénéfique à l'environnement, puisque le problème est exporté dans les régions les moins à même d'y faire face. Échappent cependant à cette délocalisation de la pollution aux marges des économies avancées les activités dont le produit ne peut pas être importé à partir de destinations éloignées. C'est le cas de la production d'électricité et du transport local des personnes et des marchandises.

De manière générale, un renversement d'une tendance à la dégradation environnementale ne se produit qu'à deux conditions. D'une part, il faut que l'impact négatif de cette dégradation sur les populations concernées soit perçu par celles-ci et par leurs instances dirigeantes. D'autre part, les personnes qui supportent le coût des mesures qui permettent ce renversement de la dégradation doivent être les mêmes qui profitent des bénéfices du renversement de la tendance environnementale. Cela explique pourquoi la courbe environnementale de Kuznets ne se vérifie que pour les problèmes environnementaux locaux et à court terme. C'est le cas de la pollution urbaine ou de la contamination de l'eau potable, mais pas celui du réchauffement de la planète ou de la diminution de la diversité biologique de la planète : les bénéficiaires de la diminution de la dégradation environnementale seraient les générations futures, partout dans le monde, non ceux qui feraient des sacrifices aujourd'hui en un endroit donné de la planète.

Le modèle de la courbe environnementale de Kuznets introduit donc une première relation non linéaire dans l'interaction entre l'activité humaine et l'environnement naturel. Pour résoudre les problèmes environnementaux, la croissance économique doit être accompagnée de changements institutionnels et culturels, et de politiques volontaristes.

Cinquième modèle : la loi des rendements décroissants et les surplus

Une seconde relation non linéaire qui décrit l'impact de l'activité humaine sur l'environnement naturel mérite d'être introduite. Imaginons une population d'agriculteurs en pleine expansion vivant sur un terroir limité. En faisant l'hypothèse que la consommation par individu reste constante, la croissance de la population s'accompagne d'une augmentation linéaire de la consommation totale : un doublement de la population conduit à un doublement de la consommation.

Mais chaque être humain n'est pas qu'une bouche à nourrir ; il a également des mains pour travailler. En faisant l'hypothèse que la technologie employée reste inchangée, la croissance de la population s'accompagne d'une augmentation non linéaire de la production.

La forme de la courbe de production reflète la « loi des rendements décroissants », appelée aussi « loi de la diminution de la productivité marginale ». Dans un processus de production, le produit marginal

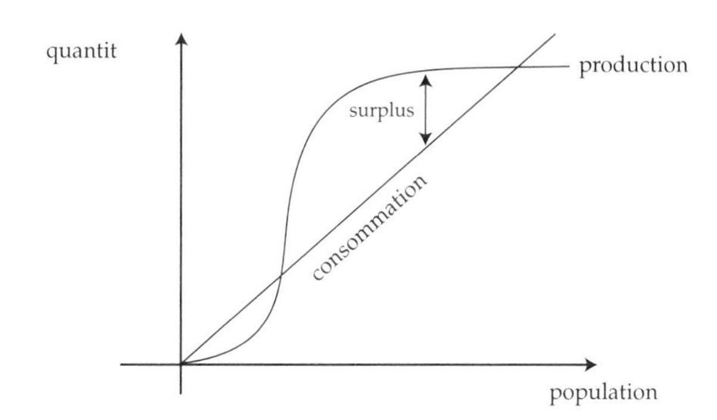

d'un facteur de production (appelé intrant) est défini par l'augmentation du produit total qui résulte de l'augmentation d'une unité d'intrant. Selon cette loi, au-delà d'un certain seuil, l'augmentation des intrants n'apporte plus une augmentation proportionnelle du produit. Le produit marginal diminue et peut même, à l'extrême, devenir négatif.

Par exemple, un groupe de personnes doit descendre un meuble lourd dans un escalier. Un seul homme n'atteindra que des résultats médiocres. Lorsqu'une ou deux personnes viendront lui prêter main-forte, les progrès seront rapides. Lorsque l'équipe atteindra une taille de quatre à six personnes, le nombre idéal de déménageurs, un seuil sera atteint. Si de nouvelles personnes viennent s'ajouter à l'équipe, le gain en production par personne diminuera car les déménageurs se gêneront mutuellement. Arrivera même un moment où l'arrivée de déménageurs supplémentaires rendra la tâche impossible : l'escalier sera tellement encombré de personnes que le meuble ne pourra plus passer !

Il est facile de transposer cette métaphore à l'agriculture. Un manque de main-d'œuvre ne permet pas les aménagements agricoles nécessaires à une production élevée. Lorsqu'un nombre optimal d'agriculteurs est atteint, chacun cultive les sols les plus fertiles et génère une production élevée. Un trop grand nombre de travailleurs force une fraction de la population d'agriculteurs à mettre en culture des terres marginales à faible potentiel, sur lesquelles la productivité est faible et le risque de dégradation élevé.

Le sort des surplus

Étant donné la forme linéaire de la courbe de consommation et la forme non linéaire de la courbe de production, on observe sur la figure une période pendant laquelle la production agricole dépasse les besoins de la population agricole. L'usage fait de ce surplus détermine dans une large mesure l'impact environnemental d'une société sur le futur proche.

Idéalement, le surplus doit être utilisé comme investissement dans la recherche, l'expérimentation et la mise en œuvre de nouvelles technologies de production afin d'anticiper la diminution du produit marginal lié à la croissance de la population. Ce processus d'innovation nécessite une organisation sociale élaborée, dans laquelle certains s'engagent dans des activités d'expérimentation, par définition risquées, et dépendent, pour leur survie, du surplus généré par d'autres. Ces innovations technologiques permettent d'éviter une surexploitation des terres, et les crises alimentaires et écologiques qui l'accompagnent, une fois que le produit marginal deviendra faible ou nul. Une nouvelle technologie de production plus performante sera associée à une nouvelle courbe qui, au début, donnera lieu à un produit marginal élevé et stable.

Si le surplus est absorbé par des dépenses de prestige ou à caractère militaire au bénéfice de l'élite locale, s'il est détourné de l'économie locale par une puissance coloniale, ou s'il a été consommé pour faire face à une catastrophe naturelle telle qu'une longue sécheresse, les agriculteurs n'ont plus les moyens d'investir dans des innovations technologiques. Dans ce cas, le manque de capital empêche les ajustements nécessaires. La population qui augmente se trouve prisonnière d'un cercle vicieux : un nombre croissant d'agriculteurs vit sur un espace limité, en utilisant les mêmes techniques agricoles, sur des terres de plus en plus dégradées, jusqu'au point où les rendements marginaux deviennent négatifs. L'anthropologue américain Clifford Geertz a appelé « involution » cette spirale dans laquelle dégradation environnementale et malnutrition se renforcent.

L'archéologie révèle que, dans le passé, ce processus a conduit à l'effondrement de sociétés ou civilisations complexes. L'île de Pâques, dont la population atteignait 7 000 habitants vers 1400, a ensuite subi une déforestation complète, une érosion des sols et une quasi-extinction des espèces locales d'oiseaux marins et de coquillages. La société sophistiquée d'origine polynésienne, qui avait sculpté dans la pierre près de neuf cents statues géantes dont deux cents dressées selon un alignement astronomique précis, était réduite à une poignée de cannibales primitifs et ignorants lorsque l'explorateur hollandais Jacob Roggeveen découvrit l'île en 1722.

Les archéologues décrivent comment cette société a investi son surplus en capital humain (la force de travail des paysans) et son capital naturel (une espèce de palmier, le Jubaea, qui produit de grands arbres) dans des compétitions de prestige entre clans, concrétisées par l'érection de statues de plus en plus grandes. Aucun membre influent de cette société n'a apparemment perçu vers quel désastre écologique cette économie ostentatoire conduisait l'île et ses habitants, malgré la culture sophistiquée et la société prospère qui s'y étaient développées. Une fois le dernier arbre coupé, ceux qui avaient été d'habiles navigateurs ayant franchi une partie de l'océan Pacifique vers l'an 400, contre les courants et les vents dominants, n'eurent même plus de quoi construire une embarcation pour quitter l'île ou pour pêcher.

Sans atteindre de tels extrêmes, l'effondrement des civilisations mésopotamienne, hohokam (au sud de l'Arizona) et d'autres est en partie dû à une agriculture trop intensive, qui a conduit à une salinisation des sols et à la déforestation, ainsi qu'à une surexploitation du gibier ou des poissons. Si ces facteurs n'ont pas directement causé l'effondrement de ces sociétés, ils ont augmenté de manière décisive leur vulnérabilité à des sécheresses répétées et à des troubles sociopolitiques internes et externes.

Un point est commun à ces histoires : une élite politique s'établit et détourne une part croissante du surplus généré par la classe paysanne au profit d'activités de prestige ou à caractère militaire. Ces drames du passé alimentent les convictions des pessimistes, qui voient se reproduire aujourd'hui ce syndrome, sous une forme moderne, à une échelle planétaire.

Sixième modèle : l'innovation, produit de la rareté ?

Les optimistes, en revanche, trouvent dans l'histoire de multiples exemples dans lesquels la rareté de certaines ressources vitales et le stress écologique sont associés à une grande inventivité des sociétés humaines.

Dans son livre Pauvreté et progrès, le Britannique et historien de l'économie Richard Wilkinson a défendu la thèse que le principal stimulus du développement économique a toujours été une croissance des besoins matériels au-delà du niveau maximum pouvant être satisfait par l'environnement. Les grandes révolutions technologiques ont souvent été précédées de crises écologiques. Cet auteur analyse la rareté des terres et du bois avant la révolution industrielle en Angleterre. La raréfaction du combustible extrait des forêts surexploitées a incité à l'exploitation du charbon, point de départ d'une série d'innovations technologiques, dont la machine à vapeur utilisée pour le pompage de l'eau en dehors des mines à charbon.

L'économiste danoise Ester Boserup avait, quelques années auparavant, développé la thèse selon laquelle, en plusieurs endroits du monde, le progrès agricole qui a permis une augmentation des rendements et un raccourcissement du temps de jachère (traditionnellement utilisée pour restaurer la fertilité des sols agricoles) a été suscité par une augmentation de la population au-delà de ce que l'environnement pouvait supporter. Les agriculteurs ont été contraints d'augmenter les intrants agricoles (engrais organiques et chimiques, par exemple) pour diminuer la superficie en jachère sans épuiser les sols. Cette intensification de l'agriculture a exigé un investissement en capital et, avant l'introduction de machines agricoles, une augmentation de la quantité de travail par unité de production. Les seuils successifs d'intensification agricole par l'application de nouvelles techniques correspondent aux périodes au cours desquelles la capacité de charge d'un environnement a été atteinte. Le progrès technologique intervient donc pour résoudre des crises écologiques successives. Les sociétés humaines investissent dans la recherche de technologies avancées lorsqu'elles n'ont guère le choix sur le plan écologique.

En résumé, la dégradation environnementale ne dépend pas uniquement de la taille de la population, de sa consommation et de sa technologie. Elle dépend aussi du succès ou de l'échec des processus d'innovation qui permettent d'anticiper des pressions à venir sur l'environnement. Ces innovations exigent qu'un certain surplus en capital et en force de travail soit disponible. Les facteurs de succès sont la possibilité pour une société de détecter précocement l'impact de l'activité humaine sur l'environnement, la transmission rapide et directe de l'information vers les centres de décision, la capacité de comprendre l'état de l'environnement étant donné les processus complexes qui le régulent, et la convergence d'objectifs entre différents groupes, pour éviter qu'une élite minoritaire s'enrichisse aux dépens de l'environnement, donc de la majorité de la population.

Cet ensemble de facteurs nécessite que la société ait réussi à développer et maintenir des institutions performantes qui permettent de répondre de manière appropriée et rapide à une pression sur les ressources environnementales.

La tragédie des biens communautaires

Les institutions d'une communauté qui exploite un écosystème influencent l'interaction entre l'activité humaine et son environnement, en régulant notamment l'accès aux ressources naturelles.

L'écologue américain Garett Hardin a utilisé la métaphore d'une petite communauté rurale comme il en existait en Europe au Moyen Âge. Chaque membre cultive quelques champs et est propriétaire de quelques moutons. L'ensemble des moutons du village est conduit chaque jour par un berger vers des pâturages utilisés par toute la communauté. Alors que les moutons appartiennent à chaque famille, les pâturages sont communautaires. Ces pâturages, situés sur des terres pauvres, sont rapidement épuisés si le troupeau y broute de manière trop fréquente et intensive.

Un membre de la communauté âpre au gain peut augmenter le nombre de moutons dont il est propriétaire. En effet, chaque mouton lui rapporte un revenu supplémentaire : plus de laine et d'agneaux chaque année. Cela ne lui coûte rien car ces moutons additionnels se nourrissent sur des terres qui appartiennent à la communauté.

Arrive un moment où l'augmentation du nombre de moutons conduit à un appauvrissement des pâturages. Cet inconvénient est réparti à peu près également sur les moutons du village qui, tous, pâtissent un peu de la diminution de la quantité et de la qualité de l'herbe disponible. Les moutons ajoutés ne subissent donc qu'une petite fraction du coût écologique dont ils sont à l'origine. La personne qui ajoute des moutons bénéficie de l'opération puisque ses gains sont supérieurs au coût qu'elle subit par le fait d'une diminution minime de l'état de santé de ses moutons. Elle peut encore augmenter le nombre de ses moutons, jusqu'à l'épuisement du pâturage communautaire. Alors seulement son entreprise d'élevage de moutons perd toute rentabilité, entraînant dans sa perte l'ensemble de la communauté.

Le processus de dégradation intervient d'autant plus vite qu'un grand nombre d'utilisateurs du pâturage suivent le même raisonnement. Les autres utilisateurs risquent en effet d'imiter leur voisin afin, eux aussi, de s'enrichir aux dépens des pâturages communautaires.

Cette métaphore est connue sous le nom de la « tragédie des biens communautaires ». Elle décrit un conflit entre la rationalité individuelle et celle de la collectivité, c'est-à-dire entre le bien privé et le bien public. Ce mécanisme est à l'origine de la pollution atmosphérique mondiale et du déclin des stocks de poissons dans les océans. Il semble donner raison aux pessimistes.

Lorsque nous utilisons des ressources environnementales communes, que ce soit pour y puiser des produits ou y déverser des déchets, nos actions ont un impact sur les autres utilisateurs de ces ressources. On appelle « externalités » les conséquences que subissent des individus non directement impliqués dans une action. Ces individus ne paient pas ou ne sont pas indemnisés pour les actes dont ils bénéficient ou dont ils subissent les conséquences.

Les externalités ont des conséquences positives, par exemple dans le cas où un grand nombre de pays ratifient et appliquent une convention internationale sur la diminution des émissions de gaz à effet de serre responsables du changement climatique, alors qu'un autre pays refuse de ratifier cette convention : l'ensemble des pays en bénéficie, y compris celui qui ne met pas en œuvre la convention.

Les externalités peuvent aussi être négatives lorsque, par exemple, un pays pêche des quantités excessives de poissons dans les eaux internationales, épuisant le stock de certaines espèces aux dépens d'autres groupes de pêcheurs.

Certains scientifiques ont élevé au statut de loi générale le fait que les individus négligent les externalités négatives lorsqu'ils utilisent l'environnement. En réalité, ce syndrome de dégradation n'apparaît que sous des conditions bien particulières. Il faut d'abord que la ressource naturelle exploitée soit intrinsèquement de nature « commune ». Rentrent dans cette catégorie les ressources dont il est difficile de contrôler l'accès par des utilisateurs potentiels étant donné la nature physique de cette ressource : c'est le cas de l'eau des nappes phréatiques, ou d'espèces animales migratoires comme les baleines.

La seconde caractéristique des ressources de nature commune est que l'utilisation de ces ressources par certains peut potentiellement diminuer le bien-être d'autres utilisateurs de ces ressources, parce que cette ressource est limitée en quantité ou parce qu'elle se régénère lentement. Si un utilisateur extrait quotidiennement une grande quantité d'eau d'un puits, le niveau d'eau diminue dans le puits des voisins et le coût d'extraction de l'eau augmente pour eux.

Par ailleurs, une tragédie de biens communautaires ne se produit que pour les ressources communes dont l'accès est libre pour tous. Dans la réalité, ces ressources sont souvent gérées par des régimes de droit de propriété privée, communautaire ou nationale. Ces régimes, insistent les optimistes, permettent à la fois l'exclusion d'utilisateurs potentiels non autorisés et la régulation de l'utilisation de la ressource par les utilisateurs autorisés.

Propriété étatique, privée ou communautaire ?

Au cours de l'histoire, les sociétés humaines ont fait preuve de créativité dans la conception de dispositifs institutionnels pour remplir ces fonctions d'exclusion et de régulation. Par exemple, la chasse ou la collecte de produits forestiers peut être régulée par une restriction des périodes d'activité et par la technologie utilisée. Lorsque des droits exclusifs de pêche le long de la côte sont attribués à des coopératives de pêcheurs, celles-ci limitent le volume de poisson extrait par chaque membre et imposent parfois un partage des revenus entre les membres de la coopérative, pour ne pas inciter leurs membres à pêcher plus que le voisin.

Dans les régions semi-arides, limiter l'accès aux puits d'eau aux seuls membres d'une tribu permet de contrôler à faible coût l'utilisation de vastes pâturages entourant ces puits. L'extraction rapide du pétrole par de petits exploitants dans le Wyoming a diminué lorsqu'une décision juridique a attribué des droits de propriété privée non au pétrole extrait, mais à des unités de pétrole souterrain, avant son extraction. Il n'y avait donc plus de raison de puiser le plus de pétrole possible avant que le concurrent ne prélève une partie du stock. Dans certains villages japonais, le chaume était récolté de manière collective et les fagots étaient alloués à chaque famille par une procédure de tirage au sort. En Asie, la distribution de l'eau entre les différentes parcelles irriguées d'un village répond à des règles précises implémentées par des associations de gestion de l'eau. Par exemple, les parcelles à l'amont ne peuvent être irriguées qu'une fois que celles à l'aval, qui risquent le plus un manque d'eau, ont reçu la quantité d'eau nécessaire.

Au risque de généraliser abusivement, les régimes de propriétés communautaires apparaissent comme les plus efficaces pour réguler l'utilisation de certaines ressources communes par nature. Une célèbre image satellite des terres pastorales en Asie centrale, couvrant une partie de la Chine, de la Russie et de la Mongolie, réalisée en 1989, illustre cette hypothèse. Les trois quarts de la partie russe, le tiers de la zone chinoise et seulement un dixième du territoire mongol présentent des signes de dégradation sévère.

En effet, en Russie, les pâturages, propriété de l'État, étaient gérés par des entreprises agricoles nationalisées. Ce mode de gestion impliquait le stationnement d'une haute densité de bétail, toute l'année, dans des prairies clôturées, ce qui a conduit à un surpâturage et à une dégradation par le piétinement continu des animaux, tandis que l'utilisation répétée d'engins agricoles lourds détruisait les sols fragiles d'autres parcelles consacrées aux cultures fourragères. En Chine, les pâturages, d'abord collectivisés dans les années cinquante, avaient été privatisés à la fin des années soixante-dix. La division du territoire entre un grand nombre de propriétaires privés a empêché les déplacements du bétail le long des parcours pastoraux d'antan. En Mongolie, en revanche, les pasteurs ont poursuivi leur gestion communautaire des pâturages, fondée sur la mobilité des troupeaux à travers de vastes steppes, au gré des fluctuations climatiques saisonnières et dans le respect de règles ancestrales.

Tant le régime foncier socialiste que le régime de propriété privée des terres ont conduit, ici, à une dégradation sévère, alors qu'un régime communautaire traditionnel de gestion d'une ressource naturelle a préservé le capital des pasteurs. Le mode de gestion opportuniste et mobile des pâturages par les tribus mongoles est loin, cependant, de s'apparenter à un régime de libre accès, puisqu'il répond à de strictes règles de coopération et de réciprocité.

L'expérience montre que la propriété étatique revient souvent à un régime d'accès libre. Les ressources nationalisées souffrent de la difficulté à faire respecter les règles d'utilisation, du faible contrôle de l'utilisation de ces ressources par manque de moyens et de dysfonctionnements qui entachent cette gestion. Les États édictent de nombreuses règles de gestion plutôt que d'implémenter de manière efficace ces règles et de vérifier si les effets voulus sont atteints. En l'absence d'efforts de mise en vigueur, une inflation de lois et règlements encourage la violation de ces lois. La nationalisation de ressources naturelles a rarement amélioré leur gestion, en particulier dans les régions du monde où les structures de l'État sont faibles.

En ce qui concerne le régime de propriété privée, le coût lié à l'exclusion d'utilisateurs extérieurs et à la protection de la ressource privatisée peut être lourd pour les structures privées, en particulier dans le cas de ressources communes. Dès le Moyen Âge, les forêts seigneuriales étaient l'objet de braconnage et d'une collecte illégale par les paysans affamés : l'inégalité dans la répartition des droits d'accès aux ressources rendait le respect de la propriété privée des forêts impossible à contrôler. En Afrique, de petites entreprises ont acquis quelques rhinocéros blancs, espèce menacée, pour que des touristes puissent, moyennant un droit d'entrée dans des zones surveillées, les observer. Pour protéger les animaux des braconniers, elles ont dû mettre en place une infrastructure coûteuse de clôtures électriques et de gardes armés.

Pour des ressources à maturité tardive, il est généralement optimal du point de vue de la logique économique privée d'exploiter complètement la ressource, jusqu'à son épuisement, plutôt que de l'exploiter de manière durable. C'est le cas des baleines ou d'arbres tels que le séquoia, dont le cycle de croissance peut atteindre deux mille ans. Seule la prise en compte des intérêts des autres utilisateurs potentiels et des générations futures justifierait une exploitation modérée de cette catégorie de ressources : ces considérations altruistes ne sont généralement pas compatibles avec un régime de propriété privée.

La gestion de ressources par de petites communautés d'utilisateurs interdépendants a souvent permis d'éviter une surexploitation des écosystèmes, à condition que ces communautés aient reçu un droit légal d'utilisation exclusive des ressources en question. Tel est le cas des communautés de pêcheurs qui dépendent du stock de poissons ou de crustacés à proximité de leurs côtes, que ce soit au Japon, dans certaines îles du Pacifique ou dans le Maine, aux États-Unis, où abondent les homards. Les communautés rurales du Moyen Âge auxquelles Garett Hardin faisait référence avaient, elles, édicté des règles qui limitaient le nombre de têtes de bétail pour chaque membre du village, et les pâturages ont persisté pendant plusieurs siècles sans être dégradés.

La capacité des sociétés humaines à mettre en place des formes de concertation entre utilisateurs interdépendants de ressources naturelles ainsi qu'à développer et à ajuster des normes de comportement est un facteur institutionnel important si l'on veut empêcher une dégradation des ressources de nature commune. Ces institutions, lorsqu'elles existent, permettent d'éviter l'impact destructeur sur l'environnement naturel de la divergence entre les rationalités individuelles et collectives.

De telles institutions peuvent être absentes lorsque le problème environnemental est nouveau – ce qui est le cas de plusieurs des changements environnementaux à l'échelle mondiale – et lorsque des modes traditionnels de gestion des ressources ont été oblitérés par des changements sociaux et politiques. Sur ce deuxième point, la désarticulation des sociétés traditionnelles par la modernisation entraîne souvent un affaiblissement des systèmes traditionnels de contrôle de l'accès et de l'utilisation des ressources, donc une dégradation de l'environnement. Des ressources dont l'utilisation était strictement régulée par des institutions locales parfois complexes et peu formalisées tombent alors *de facto* dans un régime de libre accès, ce qui entraîne leur surexploitation si la demande pour ces ressources est élevée.

Des régimes de contrôle de l'accès et de l'utilisation de ressources naturelles qui resteraient figés au cours du temps pourraient également mener à une dégradation de l'environnement. Une société doit conserver sa capacité d'innover rapidement et efficacement sur le plan institutionnel lorsque de nouveaux défis surgissent. À l'échelle mondiale, cela a été le cas avec le protocole de Montréal signé en 1987 pour protéger la couche d'ozone. Les effets positifs de ce protocole commencent à se faire sentir. Plus récemment, le protocole de Kyoto, qui vise à lutter contre le réchauffement climatique, est une réponse institutionnelle à un nouveau défi environnemental, une réponse trop lente et trop timide, certes, car il est plus difficile de développer des institutions pour gérer des ressources mondiales, qui affectent à divers degrés l'ensemble de la population mondiale présente et future, que de développer des institutions locales pour la gestion de ressources confinées à un écosystème et utilisées par une seule communauté.

Septième modèle : stabilité ou résilience (se protéger ou s'adapter ?)

La fragilité (ou, à l'opposé, la résistance) d'un écosystème est sa capacité à être modifié sous l'effet de perturbations. Un écosystème fragile est peu stable. Un écosystème résistant est stable : il reste dans le même état quelles que soient les perturbations qu'il subit.

Le concept de résilience, en revanche, décrit la capacité d'un écosystème à récupérer et à retourner à son état initial après une perturbation. On peut se représenter la résilience comme une surface vallonnée sur laquelle circule une bille. Le fond d'une vallée large mais profonde représente un état peu stable mais très résilient : la bille bouge facilement mais revient rapidement à sa position initiale quand la perturbation cesse. Comme le roseau qui ploie sous le vent puis se redresse, la résilience repose sur des mécanismes d'absorption des chocs.

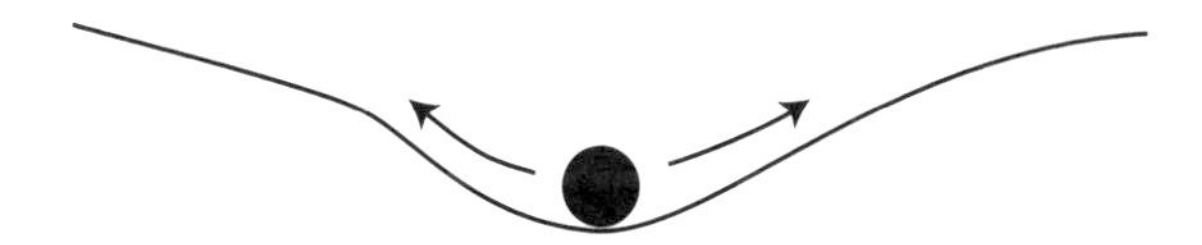

En revanche, une vallée peu profonde mais étroite représente un état stable mais peu résilient. En temps normal, la bille ne bouge pas. Lorsqu'elle est déplacée par une importante force extérieure, elle risque de ne jamais revenir à sa position initiale : elle occupe un nouvel état stable – comme l'arbre couché sur le sol après avoir été déraciné par une tempête.

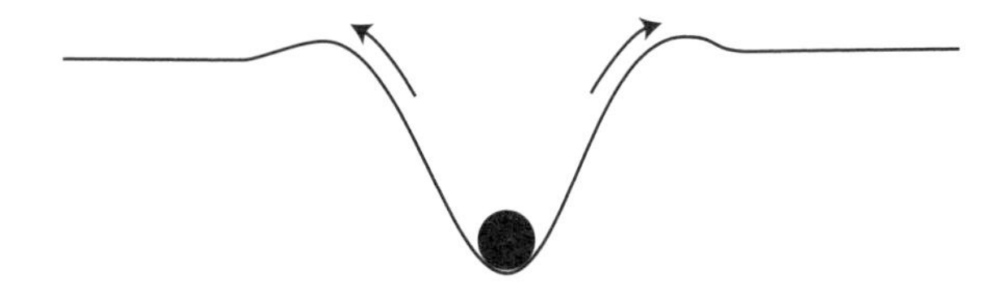

Le degré de résilience d'un écosystème est souvent un meilleur indicateur de sa « santé » que sa stabilité. Or un système stable est souvent peu résilient car il n'a pas développé de mécanismes de réorganisation pour faire face à des perturbations majeures. Il s'est plutôt protégé contre des perturbations.

Par exemple, les sociétés des pays industrialisés ont construit de vastes réseaux de digues et de barrages pour protéger leurs plaines alluviales et leurs grandes villes contre les inondations. La fertilisation naturelle des sols par les inondations a dû être remplacée par un apport important d'engrais chimiques. Lorsque, de manière exceptionnelle, les inondations atteignent un niveau tel que les digues cèdent, le coût économique (destruction des récoltes et des infrastructures) est considérable : le système a perdu sa résilience face à des conditions extrêmes, au profit de la stabilité sous des conditions normales.

Le Bangladesh, en revanche, un des pays les plus pauvres du monde, a appris à vivre avec les inondations. L'habitat et l'agriculture sont adaptés à l'invasion fréquente des eaux. L'habitat est regroupé sur les points les plus hauts. Les maisons ont des toits plats sur lesquels les familles trouvent refuge avec leurs biens en cas d'inondation exceptionnelle. Les toits en chaume peuvent même se détacher des murs et être emportés par les eaux comme des radeaux. À la décrue, il n'y a plus qu'à réinstaller le toit-radeau sur ses murs et reprendre le cours de la vie normale. Au Bangladesh, les rendements agricoles les plus élevés sont obtenus juste après une inondation car l'agriculture profite du limon déposé sur les champs par les rivières sorties de leur lit. Les espèces de riz cultivées dans les plaines tolèrent bien les inondations grâce à de longues tiges et de solides racines.

Un exemple de même nature concerne l'utilisation excessive d'antibiotiques. Ceux-ci apportent des gains à chaque malade, à court terme, mais rendent la population humaine moins résiliente face à de nouvelles épidémies qui seraient associées à des agents pathogènes devenus résistants. Ces résistances résultent d'une sélection des agents pathogènes, accélérée par l'utilisation massive d'antibiotiques.

Le concept de résilience s'applique aux systèmes socio-économiques autant qu'aux systèmes écologiques. Il peut être difficile d'évaluer la résilience d'un écosystème fortement dominé par l'activité humaine face à des perturbations tant naturelles que socio-économiques. Les connaissances scientifiques permettent aujourd'hui de déterminer, par exemple, quel système de gestion est le plus approprié pour maintenir la résilience d'un écosystème semi-aride qui supporte une population importante de bétail, face à des sécheresses épisodiques. Il est possible de déterminer, sur la base de données socio-économiques, si une entreprise agricole est résiliente face à une évolution erratique des prix de la viande ou des subsides de l'État pour la production laitière.

La question la plus importante, toutefois, est de savoir si le système intégré formé par les pâturages semi-arides et les entreprises agricoles qui les exploitent serait résilient face à, simultanément, une sécheresse, un changement du marché de la viande et un abandon des politiques de subvention du lait. Ce type d'analyse nécessite une compréhension approfondie des interactions entre les systèmes écologiques et socio-économiques.

Résilience innée et intervention humaine

La résilience dépend de deux groupes de facteurs : d'une part, la diversité, la redondance et l'hétérogénéité des éléments qui composent le système ; d'autre part, l'existence de mécanismes de réorganisation du système en cas de perturbation.

La biodiversité est l'un des éléments qui créent la résilience des écosystèmes naturels. En temps normal, seul un petit nombre d'espèces jouent un rôle important dans le fonctionnement des écosystèmes. De nombreuses espèces sont redondantes. Lorsque certaines espèces sont éliminées par une intervention extérieure ou par une épidémie, d'autres reprennent leur fonction. Selon le même principe, dans les vaisseaux spatiaux, des équipements cruciaux sont dupliqués pour leur suppléer en cas de défaillance. En outre, lorsqu'un écosystème subit une perturbation, un grand nombre d'espèces peu utiles en temps normal jouent un rôle tampon, permettant à l'écosystème de maintenir ses fonctions vitales. Dans ce cas, la diversification des espèces et leur complémentarité est essentielle.

Les paysans du Sahel suivent la même stratégie. En cas de sécheresse, leurs cultures ont de faibles rendements et l'alimentation de la population repose davantage sur la production de viande et de lait. Vu leur rareté, le prix des céréales augmente. De nombreux paysans vendent alors leur bétail excédentaire et le prix de la viande diminue. Au retour des conditions climatiques normales, le prix des céréales diminue, ce qui permet aux paysans de reconstituer leurs stocks, et celui du bétail augmente, apportant une source de revenus importante à ceux qui ont fait des sacrifices pour garder leur bétail pendant la sécheresse. La diversité représente donc une assurance contre les chocs. Elle offre aussi les matériaux nécessaires à une réorganisation d'un écosystème ou d'un mode de vie après un changement.

Le second facteur qui crée la résilience d'un système est précisément l'existence de mécanismes qui facilitent une réorganisation rapide du système. Ces mécanismes consistent en des boucles de rétroaction négatives qui font que, lorsqu'une perturbation affecte le système, un enchaînement de causes à effets remet le système « sur les rails ».

L'exemple des feux dans les forêts boréales et dans certaines forêts naturelles tempérées (telles que les forêts d'eucalyptus) est éloquent. Les feuilles et les branches mortes s'accumulent sur le sol, créant un combustible pour des feux potentiellement destructeurs, qui risquent d'être allumés par la foudre.

Le meilleur moyen de diminuer le risque d'une telle destruction est de supprimer ce combustible. Sous conditions naturelles, de petits feux fréquents remplissent cette fonction dans certaines forêts. Si le combustible n'a pas l'occasion de s'accumuler en grande quantité, les feux n'atteignent pas des températures élevées. La matière végétale sèche brûle au sol mais les arbres sont peu abîmés. Une sélection naturelle s'opère et seuls les arbres les plus résistants aux feux se développent. Les graines de certaines plantes ne germent d'ailleurs que si elles sont « stimulées » par un feu. Les jeunes arbres repoussent plus rapidement après un feu car ils profitent de la fertilisation du sol par les cendres. Ces feux successifs créent aussi une mosaïque de végétation à différents stades de croissance, conduisant à un paysage fragmenté et divers. Le feu suivant se propagera de manière limitée grâce aux discontinuités spatiales dans la quantité et le type de combustible disponible. Enfin, cette fragmentation du paysage garantit une régénération rapide des zones brûlées car un stock de semences est maintenu dans les zones voisines épargnées par le feu.

L'ensemble de ces processus liés à de petits feux fréquents est à l'origine d'un mécanisme de rétroaction négative qui permet à la forêt d'être résiliente face aux feux. Sous des conditions naturelles, les feux font partie de la vie de certaines forêts. En l'absence de feux, le combustible s'accumule sur le sol, des espèces d'arbres peu résistantes au feu se développent, et la vulnérabilité de la forêt face à un feu exceptionnel augmente. Dans ce cas, la haute température liée à la combustion d'une grande quantité de matières végétales accumulées sur le sol aurait un impact destructeur sur les arbres et sur le sol.

L'intervention humaine, via des politiques de gestion, peut considérablement modifier la résilience des systèmes écologiques et humains. Pour les pessimistes, des politiques de subsides à l'agriculture intensive ont, par exemple, diminué la diversité des paysages agraires en Europe et en Amérique du Nord. La monoculture intensive moderne est plus vulnérable que la polyculture d'autrefois aux variations des prix sur le marché mondial, à une dégradation des sols et à des maladies saisonnières des cultures.

Des politiques naïves de recherche de la stabilité des écosystèmes ont également supprimé des mécanismes naturels de régulation des écosystèmes. Par exemple, une volonté de « protéger » les forêts contre les feux, au début du XXe siècle, aux États-Unis, a poussé à éteindre immédiatement, par une intervention coûteuse, chaque petit feu déclaré. Du combustible s'est accumulé sur le sol pendant plusieurs décennies et des feux dévastateurs ravagent le pays depuis vingt ans. Après un incendie catastrophique qui a détruit près de la moitié de la végétation du parc national de Yellowstone à la fin des années quatre vingt, les gestionnaires des forêts ont découvert la vertu des petits feux fréquents naturels.

Les paysans africains dans les régions de savanes appliquent depuis toujours ce principe. Ils brûlent la végétation de manière contrôlée, tôt dans la saison sèche, alors qu'elle est encore humide et ne s'enflamme pas rapidement. Ces feux contrôlables sont confinés à de petites superficies réparties à travers le paysage. Cette fragmentation intentionnelle du paysage empêche une propagation des feux accidentels sur de grandes superficies, plus tard dans la saison, lorsque la végétation est sèche.

Pour les optimistes, une intervention humaine « éclairée » a donc le pouvoir d'augmenter la résilience des écosystèmes dominés par l'activité humaine. Il est, d'une part, possible d'augmenter la capacité d'adaptation des acteurs clefs d'un système par des institutions qui promeuvent l'apprentissage, la flexibilité et la recherche de solutions face à de nouveaux défis. Ces facteurs favorisent une gestion « adaptative » des écosystèmes. D'autre part, l'introduction de rétroactions négatives

« artificielles », via des mécanismes institutionnels, ajoute des mécanismes de réorganisation du système. La création de marchés pour des ressources naturelles est un exemple de ce type de mécanisme. Lorsqu'une perturbation dégrade une ressource, sa rareté augmente son prix sur le marché, ce qui incite les utilisateurs à rechercher des substituts moins onéreux, donc à réorganiser le système de production.

En conclusion, la manière dont les sociétés humaines gèrent l'environnement naturel a un impact considérable sur la résilience des écosystèmes face à des perturbations. Une gestion fondée sur la stabilité et l'efficacité dans la gestion d'une ressource afin de satisfaire des besoins à court terme peut diminuer la résilience de l'écosystème sur le long terme. Avec le temps, les institutions qui gèrent des ressources deviennent plus rigides et moins sensibles aux signaux qu'envoie l'environnement. Des mécanismes naturels qui créent la résilience d'un écosystème sont affaiblis et l'écosystème est artificiellement maintenu dans un état stable, par un contrôle de l'impact des facteurs naturels de variabilité. Lorsqu'un phénomène naturel extrême survient, une crise environnementale frappe par surprise : une inondation catastrophique, un incendie de forêt majeur, une épidémie ou une crise alimentaire. Cette perte de résilience peut être évitée par des modes de gestion adaptatifs et flexibles des ressources, qui intègrent la variabilité souvent imprévisible des écosystèmes.

Huitième modèle : le concept de vulnérabilité

Le concept de vulnérabilité offre un cadre essentiel pour comprendre les conséquences des changements environnementaux sur les sociétés humaines. La notion de vulnérabilité a été introduite en sciences dans les recherches sur les causes des famines et, plus récemment, sur l'impact du changement climatique. Une étude d'impact environnemental classique analyse les conséquences d'une perturbation particulière (une sécheresse ou un changement climatique à long terme) sur les sociétés humaines. Une étude de vulnérabilité, en revanche, inverse le problème en analysant le risque qu'une société particulière subisse des effets défavorables liés à une série de perturbations extérieures.

Ce risque dépend largement de facteurs internes, qui réduisent la capacité de la société concernée à répondre ou à s'adapter à ces perturbations. La vulnérabilité dépend donc des caractéristiques des personnes ou des groupes qui leur permettent d'anticiper, faire face, résister et récupérer après une perturbation. Cette approche élargit l'analyse environnementale des changements physiques, biologiques ou chimiques d'un environnement naturel aux stratégies économiques, sociales ou politiques d'adaptation face à ces changements et à la capacité qu'a une société de réhabiliter son environnement lorsqu'il se dégrade.

Une analogie permet de mieux comprendre la valeur d'une analyse de vulnérabilité. Le montant acceptable d'une dette ne dépend pas uniquement de la valeur absolue de l'endettement. Il dépend plutôt de sa valeur relative par rapport à la capacité de remboursement. Cette capacité dépend d'une série de caractéristiques du débiteur : son revenu mensuel, le risque que cette source de revenu se tarisse, son capital, son réseau social qui lui permet de solliciter de l'aide en cas de besoin et ses perspectives de rentrées financières à l'avenir.

De même, le fait qu'une sécheresse diminue la production agricole d'une nation ou d'une communauté rurale de 10 ou 15 % ne permet pas, en soi, de prédire une famine. L'occurrence d'une famine dépend aussi des modes d'organisation sociale permettant aux ménages de trouver des sources alternatives de revenu et d'alimentation, par le prélèvement dans des stocks, par des échanges de biens et par le développement d'autres activités rémunératrices, en dehors du secteur agricole.

Peu importe une hausse du niveau des océans de 40 centimètres accompagnée d'inondations côtières pour la Suisse, qui n'est pas exposée à ce type de perturbation, ou pour les Pays-Bas, qui ont anticipé le problème en rehaussant leurs digues. En revanche, le Bangladesh est vulnérable à ce problème, d'une part parce qu'il est une plaine alluviale côtière de faible altitude, d'autre part parce que la production agricole, source principale de revenu de la population, serait fortement affectée par l'invasion d'eaux salées, enfin parce que l'économie de ce pays ne permet ni de mobiliser rapidement des capitaux pour reconstruire les infrastructures détruites par une montée du niveau des océans, ni d'investir à titre préventif dans des digues de protection. La vulnérabilité d'un système dépend donc de son degré d'exposition à un risque, de sa sensibilité face au problème potentiel et de sa capacité à faire face et à anticiper le problème.

Des facteurs tels que le degré de préparation d'une société face à une perturbation possible, son stock de ressources disponibles, ses stratégies alternatives de survie ainsi que son degré de flexibilité et d'adaptation déterminent la vulnérabilité. Le caractère plus ou moins prévisible d'un problème environnemental affecte également la vulnérabilité d'une société face à ce problème. Une sécheresse est rarement prévisible, mais une société qui a mis en place un réseau performant d'aide aux populations défavorisées et de transport de surplus alimentaires saura résister à cet accident naturel. La tendance générale des changements climatiques est prévue, mais peu de mesures sont prises pour diminuer la vulnérabilité de certains secteurs économiques face à une augmentation des températures ou de la fréquence d'événements climatiques extrêmes.

Les sociétés humaines sont vulnérables à d'éventuelles surprises environnementales, comme un possible affaiblissement du Gulf Stream, ce courant marin atlantique qui amène des eaux chaudes du golfe du Mexique jusqu'au nord-ouest de l'Europe. Grâce à l'évaporation des eaux de ce courant chaud, les hivers sont plus doux, à latitude égale, dans les régions tempérées d'Europe que dans les régions canadiennes. Paris se trouve à la même latitude que le centre de l'île de Terre-Neuve ou le nord de la Gaspésie, dans lesquels les hivers sont longs et glaciaux. Un changement climatique pourrait conduire à des hivers considérablement plus froids en Europe – ce qui ne relève pas de la science-fiction puisque cela s'est déjà produit il y a une dizaine de milliers d'années. Il serait, cette fois, lié à un apport important d'eau douce par la fonte des calottes polaires. Mais ce phénomène ne fait pas partie des scénarios probables à court terme et prendrait donc les économies européennes par surprise.

Une analyse de la vulnérabilité doit prendre en compte les causes multiples qui interagissent ou interviennent de manière simultanée et dont l'effet cumulatif conduit à un certain risque. Cela inclut souvent des causes externes, qui représentent une menace, et des causes internes, qui représentent la capacité de la société à répondre à cette menace. Des communautés africaines sont vulnérables à la famine si le système social les a marginalisées et privées d'un accès à des ressources économiques ou sociales qui jouaient un rôle tampon lors d'une sécheresse. Une société est vulnérable aux changements climatiques si ses secteurs agricole et forestier se sont spécialisés à outrance dans des monocultures qui deviendraient inadaptées sous des températures plus élevées – ou plus faibles, dans le cas évoqué précédemment.

Diminuer la vulnérabilité d'un système nécessite d'augmenter sa résilience, en améliorant la capacité de mobiliser de manière flexible des ressources et en diversifiant les activités. Un système répond aussi de manière plus efficace à des perturbations lorsque l'information (si possible anticipative) circule mieux et est plus rapidement intégrée par les décideurs. Ainsi, un système d'alerte précoce des sécheresses permet une mobilisation préventive des ressources ; et une recherche scientifique performante sur les changements climatiques offre des scénarios plausibles qui permettent une réponse politique appropriée et anticipée. Une société diminue donc sa vulnérabilité en développant une recherche d'informations prospectives et anticipatives sur l'environnement, en étant à l'écoute de ces informations et en utilisant ces informations pour augmenter sa capacité et sa vitesse d'adaptation face à des défis tant internes qu'externes.

En conclusion, analyser l'impact d'un changement environnemental sur une société requiert de considérer un large spectre de facteurs internes et externes, de prendre en compte tant des facteurs liés à l'environnement naturel que des facteurs socio-économiques, politiques et culturels qui influencent cette société. L'avenir des sociétés humaines ne dépend pas que de la manière dont elles seront affectées par un changement environnemental (un changement climatique, par exemple) : il dépend autant de l'ampleur des changements environnementaux que des stratégies d'atténuation et d'adaptation mises en œuvre par les sociétés humaines.

Nous avons fait entrer en scène les personnages principaux : la nature, la démographie humaine, l'économie, la technologie, les institutions, les politiques, les rapports sociaux et la culture. Reste à comprendre quels liens se tissent entre ces personnages, quelles intrigues se nouent et se dénouent, comment les drames se jouent ou s'évitent et par quels rapports de force un équilibre s'installe au sein de cette grande famille remuante.

Chapitre 4

Les causes des changements environnementaux

« Je désirais saisir le monde des phénomènes
et des forces physiques dans leur complexité
et leurs influences mutuelles. »
Alexandre von Humboldt

La réflexion sur les causes des changements environnementaux est probablement aussi ancienne que les premières civilisations humaines. Au Ve siècle avant Jésus-Christ, Hérodote notait déjà que la population des Lydiens était trop élevée par rapport à la production qu'elle pouvait extraire de son environnement, ce qui avait entraîné une famine de dix-huit années. Au cours des premières décennies de l'ère chrétienne, Sénèque le Jeune observait une relation entre la population et la pollution à Rome, et expliquait que l'accroissement du nombre de feux de cuisine, la poussière soulevée par le trafic dans la ville et la crémation des corps des défunts à l'orée de la cité contribuaient à rendre l'air de moins en moins respirable.

Il fallut pourtant attendre le livre de Thomas Malthus en 1798 pour avoir une analyse moins anecdotique de la relation entre la population et les ressources naturelles. La thèse défendue par Malthus – qui explique que la croissance de la population conduit irrémédiablement à un dépassement des moyens de subsistance, donc à des famines – eut un tel impact que, de nos jours, l'adjectif « malthusien » demeure associé à toute idée de contrôle des naissances.

Cette idée a trouvé un second souffle au milieu du XXe siècle avec, notamment, en 1968, l'ouvrage *The Population Bomb* du biologiste américain Paul Ehrlich, annonçant lui aussi une crise écologique due à la croissance de la population mondiale. En 1972, des scénarios, fondés sur des modèles d'exploitation des ressources naturelles par l'homme, étaient formulés par un groupe de scientifiques et de penseurs : le Club de Rome. Les projections amenaient ce groupe à prédire, dans *The Limits to Growth*, un avenir sombre pour une humanité dont la population continuerait à croître rapidement.

Dans le discours des néomalthusiens, la responsabilité d'une croissance démographique rapide est principalement attribuée aux populations les plus pauvres. À l'échelle mondiale, il s'agit des pays en voie de développement alors que, à l'échelle nationale, le blâme est dirigé vers les populations marginales, qu'il s'agisse de groupes ethniques éloignés des réseaux du pouvoir ou de populations immigrées. Cet aspect de l'idéologie des néomalthusiens trouve sa racine dans deux traditions culturelles : l'attribution aux pauvres de la responsabilité de leur condition, étant donné leur nombre élevé d'enfants, et le sentiment des populations bourgeoises d'être menacées par la masse des « barbares » massés aux portes de la ville.

Le lien entre la dégradation environnementale et la croissance démographique des pauvres est devenu une conviction si ancrée que, pendant longtemps, la recherche d'autres causes ne paraissait pas nécessaire.

Ni la consommation effrénée des sociétés occidentales ni certaines politiques ayant conduit à une mauvaise gestion des ressources naturelles ne devaient être mises en cause. Les solutions au problème étaient simples : des politiques nationales ont été mises en œuvre afin d'exclure la masse croissante des populations marginales de territoires riches en ressources naturelles et d'y installer un secteur économique moderne, supposé mieux à même d'exploiter durablement les écosystèmes fragiles.

L'histoire a démontré que les prédictions de Malthus et autres cassandres ne se sont pas réalisées. Leurs analyses étaient donc incomplètes et ignoraient les multiples facteurs – autres que la croissance démographique – qui ont une incidence sur les ressources naturelles. Les changements environnementaux ont des causes plus complexes que ce que Malthus et ses héritiers intellectuels perçoivent. Certes, la croissance démographique augmente la pression sur l'environnement mais, les modèles présentés au chapitre précédent l'ont montré, les changements environnementaux ont un large spectre de causes et font intervenir de nombreux mécanismes.

L'analyse détaillée des situations réelles dans lesquelles un changement environnemental est intervenu démontre sans ambiguïté que ces changements sont toujours le résultat d'une combinaison complexe, propre à chaque contexte historique et géographique, de facteurs nombreux, plus ou moins liés. Certes, à l'échelle de l'histoire humaine et de la planète, la croissance démographique mondiale a influencé de manière considérable l'environnement terrestre. Mais elle est largement endogène à d'autres évolutions sociales et économiques : elle est la conséquence d'une transformation profonde des sociétés humaines, laquelle entraîne également un changement environnemental.

Je vais tenter, maintenant, de faire la lumière sur l'enchevêtrement complexe de facteurs qui mènent aux changements environnementaux. Il est nécessaire de trouver un juste milieu entre les approches simplistes, qui prétendent identifier une cause unique et universelle responsable des changements environnementaux (alternativement, la culture judéo-chrétienne, le capitalisme, la pauvreté, le colonialisme, la surpopulation ou la société patriarcale), et les affirmations selon lesquelles tout est d'une complexité irréductible et chaque situation unique. Alors que le premier type d'affirmation est trompeur, le second est peu utile.

La suite de ce chapitre établit d'abord le rôle des décisions prises comme étant à la source de tout impact humain sur l'environnement, pour remonter vers des facteurs plus fondamentaux, à la racine de ces changements.

Qui est responsable des changements environnementaux ?

Tout changement environnemental est le résultat de décisions prises par des agents, c'est-à-dire des personnes ou entités qui ont le pouvoir d'exercer certaines actions. Ces agents sont des individus ou des communautés qui gèrent leur environnement local (un ménage qui décide de trier ses déchets en vue de leur recyclage), mais aussi des entreprises privées (une usine chimique dont la direction décide d'investir dans des systèmes de dépollution des rejets atmosphériques de ses usines, de transporter ses produits par train ou par camion, de délocaliser ou non ses unités de production vers un pays en voie de développement dans lequel les normes environnementales sont plus laxistes) et des responsables qui, au sein des institutions publiques, conçoivent et mettent en œuvre des politiques ayant un impact environnemental au niveau local, national, régional ou mondial. Au niveau local, les plans d'aménagement du territoire accordent des priorités aux objectifs économiques, sociaux ou environnementaux. Au niveau mondial, les institutions internationales sont le lieu où se négocient des conventions environnementales relatives aux changements climatiques, à la protection de la biodiversité, à la lutte contre la désertification ou aux quotas de pêche, par exemple.

Ces multiples décisions peuvent avoir des effets intentionnels ou non intentionnels sur l'environnement. Une politique d'expansion de la frontière agricole et de colonisation d'un territoire couvert par une forêt tropicale choisit délibérément d'accorder la priorité à la conquête de nouvelles terres agricoles plutôt qu'à la préservation d'un écosystème naturel riche en biodiversité. Un tel choix est fondé sur la conviction que les effets positifs à court terme liés à la déforestation, du fait d'une augmentation de la production alimentaire, de l'extraction de ressources forestières et de l'augmentation du niveau de vie qui devrait en résulter, seront supérieurs aux effets négatifs. Seuls les impacts négatifs qui affectent directement le pays décisionnaire sont pris en compte dans ce calcul : les impacts à l'échelle mondiale sont généralement ignorés.

En revanche, une politique de subventions à la production agricole a pour effet pervers et non intentionnel de favoriser des pratiques qui peuvent avoir des effets néfastes sur l'environnement. Comme la pollution chimique des eaux et du sol n'est pas l'objectif visé par cette politique et affecte une large population qui n'est pas dédommagée, il s'agit d'externalités. Ces conséquences néfastes sont extérieures à la décision de subventionner une intensification de l'agriculture.

Certains changements environnementaux résultent d'une décision que l'on peut clairement attribuer à un agent, comme la décision prise en 2001 par le président G.W. Bush et son entourage de ne pas ratifier le protocole de Kyoto sur les changements climatiques. La plupart des changements sont toutefois le résultat d'une multitude de décisions prises par des agents qui ne se concertent pas, ne répondent pas à une direction centrale, sont animés par des motivations diverses et adaptent leur comportement, parfois de manière anticipative, à leur perception du contexte dans lequel ils évoluent. Dans ce cas, l'effet agrégé de cette multitude de décisions est de produire un changement environnemental. Chaque décision n'a, en soi, qu'un effet mineur sur l'environnement et les décisions de certains agents compensent en partie les effets néfastes des décisions d'autres agents. Alors que certains individus jettent leurs déchets par la fenêtre de leur voiture, d'autres sacrifient une partie de leur temps de loisir pour nettoyer les abords des routes. Mais lorsqu'un grand nombre de décisions convergent, un changement rapide peut se produire sans qu'aucun acteur en particulier puisse en réclamer la paternité totale. Ce changement est donc une « propriété émergente » des interactions entre ces multiples agents et leur environnement.

Par exemple, la plupart des habitants des pays occidentaux prennent chaque matin la décision d'utiliser leur voiture pour conduire leurs enfants à l'école ou pour se rendre à leur travail. Alors que l'impact environnemental de chacun de ces petits trajets est mineur, le cumul de ces décisions à l'échelle d'une ville et de sa périphérie entraîne des congestions sur le réseau routier, une pollution de l'air et une consommation élevée d'énergie fossile. Lorsque des décisions similaires sont prises dans un grand nombre de villes et de pays, la combustion de cette énergie fossile émet des gaz en quantité telle qu'ils contribuent à un réchauffement du climat. En 1995, 777 millions de voitures, camions et motos étaient utilisés de par le monde. Chaque voiture parcourait en moyenne 20 000 km par an aux États-Unis et de 12 000 à 15 000 km par an dans l'Union européenne, émettant en moyenne 250 g de dioxyde de carbone par kilomètre parcouru aux États-Unis et 186 g dans l'Union européenne. Le transport automobile a donc émis dans l'atmosphère un total de 1,7 milliard de tonnes de dioxyde de carbone en 1995.

Les décisions prises par les divers agents privés et publics ont des effets directs ou indirects sur l'environnement. Rentrent dans la première catégorie les décisions comme défricher une parcelle forestière, déverser des déchets toxiques dans un lieu non surveillé, harponner une baleine. Les responsables sont facilement identifiables puisque ces décisions sont prises par des agents en contact physique avec la ressource naturelle affectée.

S'arrêter à ce niveau de responsabilité écarte de l'essentiel. En effet, ces « microdécisions » qui affectent directement l'environnement naturel sont influencées par des décisions plus fondamentales (des « macrodécisions ») prises, dans un passé plus ou moins proche, à des niveaux d'organisation plus élevés de la société. Ces « macrodécisions » ont défini une série de règles, de procédures de prise de décision et de programmes qui conditionnent le fonctionnement social et guident les interactions au sein de la société (le marché, un ensemble de lois, des politiques qui touchent de près ou de loin à l'environnement, l'héritage culturel et social d'une communauté).

Le paysan de la forêt amazonienne qui coupe un arbre, le camionneur qui vide sa benne remplie de déchets toxiques et le marin qui lance son harpon vers la baleine ne sont que les soldats répondant aux ordres de leurs généraux, ordres devenus spécifiques et précis lors de leur transit à travers la chaîne de commandement. Dans le domaine environnemental, ces ordres ou signaux auxquels répondent les agents en contact direct avec les ressources naturelles proviennent des sphères économique, sociale, politique, technologique, scientifique et culturelle de la société. Ils sont issus des niveaux mondial, régional, national et local de cette société. À chaque niveau, ces signaux sont enrichis ou appauvris, amplifiés ou atténués, et se mélangent à d'autres signaux, cohérents ou contradictoires. Les agents au bout de la chaîne qui tiennent la hache, le levier ou le harpon interprètent le signal qui leur parvient, en fonction de leurs propres valeurs, de leur perception de la réalité, de leurs motivations et de leur histoire personnelle.

L'impact environnemental de l'agriculture intensive dans un pays européen est conditionné par le cours mondial des céréales, les politiques européennes de subvention, le niveau de la demande et des stocks à l'échelle nationale, les politiques environnementales locales qui, par exemple, imposent des restrictions sur l'épandage de lisier, les pratiques agricoles promues par les coopératives de la localité, les caractéristiques de chaque exploitation agricole et les attributs agro-écologiques des parcelles cultivées.

Dans la plupart des cas, un agent qui opère à un niveau local dans un écosystème n'influence pas ou faiblement les décisions prises à un niveau national, régional ou mondial. Ces décisions issues d'un niveau supérieur déterminent toutefois les contraintes et opportunités qui influencent les décisions locales. Par exemple, les gestionnaires d'une usine polluante ont le pouvoir de choisir entre plusieurs technologies de production dont l'impact environnemental est plus ou moins élevé. Mais ils ne contrôlent pas tous les paramètres de ce choix, comme le coût de cette technologie, les normes et standards de pollution définis par des politiques nationales et les conditions du marché mondial qui rendront cette usine plus ou moins compétitive en fonction de la technologie de production adoptée par la concurrence.

En revanche, à l'échelle locale et à moyen terme, les agents ont le pouvoir de modifier certains paramètres qui influencent leurs choix, en votant pour un responsable politique qui défend un programme avec lequel ils sont en accord, en formant un comité local pour gérer de manière durable une ressource naturelle présente sur leur territoire ainsi qu'en posant des choix quant à leur consommation et leur mode de vie.

Comprendre les causes des changements environnementaux nécessite de remonter jusqu'aux facteurs fondamentaux qui influencent les décisions prises par les agents qui ont un impact direct sur l'environnement. En d'autres termes, il faut non seulement comprendre l'impact environnemental des mouvements tactiques des troupes de soldats, mais aussi la manière dont ces mouvements reflètent les stratégies des généraux ainsi que les motivations sous-jacentes à la guerre.

L'entreprise est difficile étant donné le nombre élevé de facteurs intervenant dans tout changement environnemental, les interactions parfois imprévisibles entre des facteurs issus de différents niveaux d'organisation de la société (du système mondial à l'individu), ainsi que les variations entre des situations historiques et géographiques particulières. Cette complexité peut être réduite en reconnaissant que, dans la plupart des cas, un nombre restreint d'enchaînements typiques de facteurs conduit à un changement environnemental.

En d'autres termes, les généraux font appel de manière répétitive à quelques stratégies éprouvées qui, si elles sont chaque fois adaptées à une situation particulière, répondent à un nombre limité de canevas établis. Comme au jeu d'échecs, les joueurs aguerris s'inspirent de quelques séquences de mouvements dont l'efficacité a été prouvée.

Les cinq syndromes

Les multiples facteurs qui conduisent à un changement environnemental peuvent être regroupés en cinq grands « syndromes », c'est-à-dire en cinq associations récurrentes entre une série de causes qui interagissent pour donner lieu à un certain impact sur l'environnement. Les deux premiers sont typiques des pays en voie de développement, les deux suivants plus fréquents dans les pays industrialisés, tandis que le dernier affecte tous les pays du monde.

Le premier syndrome correspond à des situations de raréfaction des ressources naturelles, ce qui accroît la pression sur ces ressources en un cercle vicieux de dégradation environnementale. Ce syndrome touche les sociétés affaiblies, qui ont en partie perdu le contrôle de leur destinée. Il correspond, par exemple, à une surexploitation des sols ou des ressources forestières et minérales à l'échelle locale par une communauté rurale dans un pays pauvre.

Ce syndrome est causé par une croissance rapide de la population (qui augmente la demande en ressources naturelles), par la captation du surplus de production (ce qui accroît la pression sur les ressources), par l'application de technologies d'exploitation inadaptées à des écosystèmes fragiles (la pêche à la dynamite, l'agriculture intensive en montagne...), mais aussi par une diminution de la force de travail (vieillissement de la population, émigration des jeunes...) rendant impossibles certains travaux de maintien ou de protection de ressources naturelles. Dans tous ces cas, la dégradation des ressources entraîne une concentration de la demande sur les ressources restantes, donc une amplification de la pression environnementale.

La cause fondamentale de ce syndrome se trouve généralement dans un accès inégal – entre les utilisateurs – aux ressources, combinée à une fragilité intrinsèque de ces ressources : le changement environnemental résulte donc autant d'un dysfonctionnement du système social de répartition de l'accès aux ressources que d'une rareté en termes absolus de ces ressources.

Le deuxième syndrome apparaît lorsqu'une nation, une entreprise, une communauté ou un individu, gestionnaires de ressources naturelles, voient leur vulnérabilité augmenter et leur résilience diminuer. Cette entité perd alors sa capacité à gérer son environnement de manière durable et, en cas de perturbation extérieure, est rapidement entraînée vers une dégradation écologique. Il s'agit essentiellement d'un syndrome de pays pauvre qui subit un changement environnemental. C'est ce qui s'est passé dans le parc des Virunga au Kivu (République démocratique du Congo), qui s'est dramatiquement dégradé avec l'implantation d'un million de réfugiés rwandais, quotidiennement à la recherche de bois de feu.

L'augmentation de la vulnérabilité est généralement associée à un appauvrissement économique ou social, qui peut lui-même résulter d'une marginalisation politique. Des facteurs économiques tels que l'accumulation de dettes, le manque d'accès à des sources de crédit, l'absence de revenus stables et diversifiés ainsi qu'un capital insuffisant pour faire face à des périodes de crise ne permettent pas de faire de la préservation des ressources naturelles une priorité. Dans le cas d'un appauvrissement social, des conflits internes, une usure des alliances et des réseaux qui permettent d'obtenir de l'aide en période de crise ou une dépendance majeure vis-à-vis d'une assistance extérieure suppriment la capacité à affronter une perturbation (crise économique et financière, conditions climatiques extrêmes…). Cette vulnérabilité affecte également certains groupes victimes d'une discrimination sociale ou ethnique, ou d'une épidémie, qui risquent alors de surexploiter leurs maigres ressources, et les sociétés victimes d'une succession de catastrophes naturelles (inondations, tremblements de terres...) ou d'accidents sociopolitiques (guerre, tension sociale, crise économique...) qui affaiblissent leurs mécanismes de résilience et les poussent à dégrader leur environnement.

Dans ce syndrome, la cause fondamentale se trouve donc souvent dans des événements politiques ayant conduit à l'exclusion économique et politique d'un groupe social, le privant d'alternatives à une mauvaise gestion de ses ressources environnementales.

Le troisième syndrome correspond à des situations d'opportunités économiques, qui donnent lieu à de nouvelles activités ou à une intensification d'activités existantes. Des incitants économiques encouragent les individus à augmenter leur consommation et les entreprises privées à augmenter leur production, malgré les effets environnementaux qui en découlent. Il s'agit avant tout d'un syndrome de sociétés dont l'économie est en expansion. Les impacts environnementaux sont connus (éventuellement sous-estimés) mais perçus comme négligeables par rapport aux gains à court terme.

Il s'agit du syndrome dominant dans les pays industrialisés : pollution de l'air ou de l'eau, changement climatique, destruction de la couche d'ozone, expansion de l'agriculture commerciale aux dépens d'écosystèmes naturels, diminution des stocks de poissons à l'échelle mondiale... Ce syndrome est celui qui a le plus affecté l'environnement planétaire au XXe siècle.

Différents facteurs sont à la base de l'émergence de ces opportunités économiques : une diminution du prix de certains produits consommateurs en ressources naturelles ; une baisse des coûts de production, grâce à une meilleure organisation de la production ou à des technologies plus efficaces, mais dont l'impact environnemental ne diminue pas ; des investissements dans de nouveaux secteurs d'activité en conflit avec la préservation de ressources naturelles (par exemple, la construction de centres commerciaux ou de parcs de loisirs sur des marécages ou des tourbières riches en biodiversité) ; la construction d'infrastructures de transport qui donnent accès à des écosystèmes fragiles autrefois inaccessibles.

Or les prix du marché n'intègrent pas (ou partiellement) les coûts environnementaux, en particulier lorsque l'impact environnemental affecte des ressources publiques (l'atmosphère ou les eaux souterraines) plutôt que des ressources privées (le terrain dont le producteur est propriétaire). Si l'ensemble des coûts environnementaux était internalisé dans les prix, seules les nouvelles activités ayant un impact environnemental faible ou nul paraîtraient attractives.

Par exemple, si le prix de l'essence couvrait le coût de la pollution atmosphérique provoquée par le transport par voiture ou par camion, celui du bruit et des congestions du trafic, le train deviendrait le moyen de transport de premier choix. Aux États-Unis, un litre d'essence coûte moins cher qu'un litre de lait, les taxes sur l'essence ne représentant guère plus d'un quart du prix à la pompe. Ajouter les coûts cachés de l'essence reviendrait à multiplier son prix par trois, quatre, cinq voire six. En Europe, des tomates produites au sud de l'Espagne sont vendues à bas prix en Allemagne et au Benelux, malgré les nuisances causées par leur transport par camion sur des milliers de kilomètres. Les personnes qui subissent le coût environnemental du transport transnational par camion financent, en quelque sorte, ces tomates en ne réclamant pas une compensation pour le coût qu'elles subissent du fait de la pollution.

Dans le quatrième syndrome, les changements environnementaux sont dus à des changements sociaux, culturels ou institutionnels. Le phénomène urbain et la diffusion de la culture occidentale moderne génèrent de nouveaux rapports à la nature, d'ailleurs contradictoires. D'une part, la production bénéficie d'économies d'échelle grâce au regroupement d'une grande masse de consommateurs sur un petit territoire, ce qui augmente l'efficacité dans l'exploitation des ressources naturelles, et une plus grande valeur est accordée aux espaces verts, la nature devenant un lieu de loisir. D'autre part, les rejets et déchets urbains affectent l'atmosphère et les campagnes, la consommation de masse se propage sans considération pour son impact sur les ressources naturelles, les zones périurbaines se dégradent par la concentration d'un réseau de transports dense et par le report des industries polluantes à la périphérie des villes.

La prise de conscience de la nécessité de protéger la nature entre en contradiction avec la montée de l'individualisme et avec l'éloignement croissant entre les individus et les processus naturels. Un sondage récent a révélé que 90 % des Britanniques qui vivent en ville ignorent que la bière est faite à base d'orge et 20 % que les yaourts sont faits à partir du lait. Karl Marx suggérait déjà que le mode capitaliste de production allait créer une diminution des interactions directes entre l'homme et l'environnement naturel dont il tire sa subsistance, ce qui allait en accélérer la dégradation.

Ces évolutions sont accompagnées de changements institutionnels dans les modes d'accès aux ressources naturelles : partout dans le monde, on est passé d'une gestion communautaire et artisanale de la nature à la propriété privée et à l'exploitation industrielle, accompagnées de la nationalisation de certains segments de la nature et l'exclusion d'utilisateurs traditionnels de certaines ressources.

La cause fondamentale de ce syndrome est une évolution sociale et culturelle profonde qui éloigne l'homme de la nature et laisse la rationalité économique dominer l'exploitation des ressources naturelles. Le développement industriel des sociétés modernes confine l'environnement naturel à un rôle de fournisseur de ressources, de réceptacle de déchets, de zones de loisirs et d'aires de conservation (comme s'il s'agissait dans ce dernier cas de figer la nature en un vaste musée en plein air, et de préserver le capital génétique d'espèces animales ou végétales dont l'industrie pourrait, à l'avenir, faire un usage commercial).

Le cinquième syndrome de changement environnemental, le plus fréquent, est lié à des interventions politiques mal conçues ou élaborées dans un objectif social ou économique louable tout en ayant des effets pervers sur l'environnement. Ce syndrome concerne des politiques à divers niveaux de pouvoir – local, national, régional et mondial. Il inclut souvent une mauvaise coordination entre les politiques de différents niveaux ou entre celles de secteurs d'activité différents.

Un grand nombre de politiques ayant un impact sur l'environnement sont conçues en dehors des communautés qui, à l'échelle locale, gèrent cet environnement. Ces politiques ne prennent donc pas toujours en compte la connaissance environnementale développée par ces communautés. La surexploitation des océans, forêts et ressources en eau du fait de subsides gouvernementaux, l'assèchement de la mer d'Aral, l'impact environnemental de grands barrages ou les programmes de colonisation de la forêt tropicale au Brésil ou en Indonésie sont des exemples de ce syndrome, d'ampleur mondiale.

Parmi les politiques les plus néfastes pour l'environnement, on trouve quantité de subventions et d'incitants fiscaux. Ainsi, des subventions assurent la survie et la stabilité de secteurs d'importance stratégique comme l'agriculture, ce qui est positif lorsqu'il s'agit de garantir une production alimentaire minimale et de gérer le paysage de manière durable, mais négatif à partir d'un niveau d'intensification agricole qui contamine de substances toxiques les sols et les nappes phréatiques, affecte la santé par un excès de pesticides et exacerbe l'érosion des sols tout en obligeant à détruire chaque année des surplus agricoles.

Les subventions peuvent prendre la forme de transferts directs aux producteurs ou aux consommateurs, d'une manipulation des prix du marché (par le biais, notamment, de tarifs douaniers), de régimes fiscaux préférentiels (exemptions, crédits ou déductions fiscales), d'une réduction du coût des intrants (accès gratuit à des ressources naturelles) et des biens de production complémentaires (par exemple, les infrastructures routières indispensables à certaines activités comme l'exploitation forestière et minière).

Le Britannique Norman Myers, figure de proue des sciences environnementales, a montré que nombre de subventions directes entraînent une dégradation de l'environnement, en encourageant, par exemple, la surconsommation d'eau, l'épuisement des stocks de poissons, la pollution engendrée par le transport automobile et la combustion d'énergies fossiles. D'après Myers, vers le milieu des années quatre-vingt-dix, le ratio entre les subventions gouvernementales en faveur des sources d'énergies renouvelables par rapport aux énergies non renouvelables était d'un pour dix aux États-Unis et dans la plupart des pays de l'Union européenne, ce qui donne un avantage économique artificiel aux sources d'énergie les plus polluantes et, en réduisant le prix de ces sources énergétiques, n'incite ni à la recherche d'économies d'énergie, ni au développement de technologies écologiquement plus propres.

Il arrive même que des aides différentes cumulent leurs impacts négatifs sur l'environnement au sein d'un même secteur. L'agriculture en Europe et aux États-Unis en est un bel exemple : dans des cas extrêmes, des subventions successives encouragent le défrichement de nouvelles parcelles agricoles, une augmentation de la production grâce à des engrais chimiques, l'irrigation sur la base d'une eau facturée à 10 % de son coût réel, la destruction des excédents agricoles ainsi produits et la mise en jachère des terres précédemment défrichées (parallèlement, les subventions à l'agriculture dans les pays développés concurrencent de manière déloyale les produits agricoles d'exportation des pays en voie de développement, ce qui contribue à maintenir dans la pauvreté cette partie du monde). Autre exemple éloquent, le Canada a subventionné, dans les années quatre-vingt, l'expansion et la modernisation de la flotte de pêche en Terre-Neuve pour, quelques années plus tard, offrir des aides aux pêcheurs afin qu'ils restent à quai, car ils avaient épuisé les stocks de poissons au large de leurs côtes.

Certains secteurs bénéficient d'aides indirectes lorsque le coût environnemental de leur activité est supporté non par eux-mêmes mais par des agents qui ne sont pas impliqués dans cette activité. La Scandinavie, par exemple, finance indirectement la production d'électricité en Grande-Bretagne puisque ses forêts subissent les pluies acides qui en résultent. Alors que les problèmes environnementaux provoqués par les subsides directs sont le fait d'une intervention du gouvernement dans le marché, ici, l'absence d'intervention du gouvernement pour forcer une activité qui pollue à prendre en charge ses coûts environnementaux externes est la source du problème.

Les secteurs les plus concernés à l'échelle mondiale par les « subsides pervers » sont, par ordre décroissant, le transport routier, l'agriculture, la production énergétique à partir des énergies fossiles et du nucléaire, la consommation en eau, la pêche et l'exploitation forestière. L'analyse de Norman Myers montre que, chaque année dans le monde, 2 000 milliards de dollars sont consacrés à des subsides pervers, soit quatre fois le revenu monétaire annuel des 1,3 milliard de personnes les plus pauvres de la planète.

Une mauvaise gouvernance des ressources liée à la corruption, la négligence et l'incompétence de quelques preneurs de décision, qui favorisent des intérêts privés à court terme par rapport au bien public à long terme, entraîne également une exploitation prédatrice de l'environnement. Certaines politiques, par exemple, accordent à des groupes privés un accès libre à des biens environnementaux communs, que ce soit pour extraire des ressources naturelles, pour exploiter des écosystèmes fragiles ou pour rejeter des produits toxiques dans l'environnement. Des infrastructures coûteuses sont construites avec des fonds publics en dépit de leur impact environnemental désastreux. Dans certains cas, une mauvaise mise en œuvre de politiques par ailleurs bien conçues peut être la source d'un changement environnemental. Une instabilité des gouvernements et des guerres servant les intérêts d'une élite entraînent souvent un abandon des programmes de conservation de l'environnement, un flot de réfugiés qui surexploitent les ressources accessibles pour assurer leur survie et un climat politique peu propice à une gestion à long terme des ressources naturelles.

Dans tous les syndromes que nous venons de présenter, un dysfonctionnement dans la conception et la mise en œuvre de politiques intervient, ne fût-ce que par l'incapacité des décideurs politiques à agir à temps. Le paradoxe est que les institutions politiques, lorsqu'elles fonctionnent bien, sont également le moyen le plus efficace pour résoudre nombre de problèmes environnementaux.

L'enchevêtrement des syndromes

Il est rare qu'un seul syndrome ou qu'une seule cause soit à l'origine d'un changement environnemental majeur. Dans la plupart des cas, un changement provient soit d'un enchaînement de causes successives, soit de l'action de plusieurs causes indépendantes mais simultanées. Par exemple, la combinaison du réchauffement climatique et de la modification par l'homme de la végétation terrestre perturbe de manière significative un grand nombre d'espèces biologiques : le réchauffement global entraîne un déplacement géographique des zones climatiques favorables à différentes espèces animales et végétales, alors que l'expansion agricole et urbaine fragmente l'habitat de ces espèces, isolant ainsi des populations les unes des autres.

Il est fréquent qu'une combinaison de facteurs modifie lentement un écosystème et prépare le terrain pour un facteur soudain et imprévisible, qui déclenche alors une modification radicale de l'environnement. Les facteurs progressifs érodent de manière invisible la résilience d'un écosystème, alors que le facteur soudain déclenche un problème environnemental sérieux. Par exemple, des décennies de construction de parkings asphaltés, d'arrachage des haies et de pratiques agricoles qui compactent la terre et la laissent nue en hiver ont conduit à une imperméabilisation progressive des sols et à une augmentation du ruissellement. Lorsqu'une région connaît une année particulièrement pluvieuse, des inondations s'ensuivent qui entraînent des dommages coûteux.

La famine de 1845-1846 en Irlande illustre également comment plusieurs facteurs indépendants, certains progressifs, d'autres soudains, peuvent provoquer une catastrophe majeure. La population du pays était passée de 0,8 million d'habitants en 1500 à 8,5 millions en 1846. Une distribution inégale des terres avait conduit à l'adoption de la pomme de terre comme unique aliment de base pour près de la moitié de la population. La pauvreté et la malnutrition étaient répandues et allaient en s'aggravant depuis le milieu du XVIIIe siècle.

En 1845, une épidémie soudaine de mildiou (maladie de la pomme de terre) causa la perte d'une partie de la récolte cette année-là, et de la totalité de la récolte l'année suivante. L'impact humain de cette catastrophe fut exacerbé par les politiques du gouvernement britannique, qui décida de ne pas interférer dans le fonctionnement du marché des produits alimentaires et refusa de distribuer une aide alimentaire subventionnée. Dans le même temps, il interrompit ses projets de construction d'infrastructures telles que des routes, seule alternative de revenus pour les paysans affamés, dans le but de diminuer la dépendance des pauvres vis-à-vis de l'assistance gouvernementale. Enfin, une part importante de la production céréalière d'Irlande, abondante, continua d'être exportée vers l'Angleterre, la population irlandaise n'ayant pas de revenus suffisants pour acheter le grain produit sur son territoire.

Environ un million de personnes moururent de faim ou de maladies liées à la sous-alimentation. Un autre million d'Irlandais émigra ces années-là, puis trois autres millions avant la fin du XIXe siècle, principalement vers les États-Unis. Les autres pays européens frappés par le mildiou en 1845 ne connurent pas de telles famines, car leur production agricole était plus diversifiée et les politiques de l'époque moins inadaptées à la situation.

Dans d'autres cas, une crise environnementale soudaine et imprévisible peut déclencher une série de changements qui rendent une société plus résistante à de futures crises. Ainsi, suite à l'éruption, en avril 1815, du volcan Tambora, en Indonésie, qui projeta de nombreuses poussières dans l'atmosphère, l'année 1816 fut décrite à travers le monde comme « l'année sans été ». La Nouvelle-Angleterre, au nord-est des États-

Unis, en fut particulièrement affectée, avec de la neige en juin et des gelées destructrices en juillet et en août, qui provoquèrent des famines. Cet événement motiva le développement de nouvelles techniques agricoles et une plus grande solidarité au sein des communautés.

Les changements environnementaux sont, le plus souvent, la conséquence de facteurs interdépendants, qui se renforcent mutuellement et agissent en synergie pour modifier un écosystème. Ils ont alors un effet multiplicatif plutôt que simplement additif. Le succès de la voiture individuelle dans les pays occidentaux, peu efficace sur le plan environnemental, illustre ce phénomène de synergies. D'une part, la culture occidentale a élevé au rang de valeur l'individualisme, la recherche du gain de temps et la possession d'une grosse voiture en tant que symbole d'un statut social élevé. Ces différentes valeurs ont acquis un statut supérieur à la protection de l'environnement, au sens de la collectivité, à la sécurité routière et à la santé (associée à la bicyclette, par exemple).

Des politiques d'aménagement du territoire ont renforcé ces valeurs individualistes en permettant un habitat dispersé, alors que les politiques de transport conduisaient à une faible densité du réseau de transports en commun. La voiture individuelle en est devenue plus attractive encore, d'autant que les prix des véhicules et du carburant sont indirectement subventionnés par le fait qu'ils n'intègrent pas le coût de leur impact environnemental. De son côté, le code de la route a autorisé des vitesses élevées, qui ont rendu les déplacements en voiture plus rapides que ceux par les transports publics, même si ces vitesses sont la cause d'une hécatombe sur les routes. À la fin du XXe siècle, la voiture tuait 1,2 million de personnes chaque année dans le monde.

Les valeurs individualistes, exacerbées par la liberté de mouvement que confère la voiture, ont renforcé la demande des consommateurs pour des voitures individuelles plus confortables, du carburant moins cher, un réseau routier plus dense, davantage de places gratuites de stationnement, des vitesses de conduite plus élevées et un habitat rural dispersé, et ont abouti au règne de la voiture individuelle.

Arrive toutefois un moment où le renforcement entre les valeurs individualistes et la promotion de la voiture conduit à des congestions telles du trafic et une pollution urbaine aux impacts tellement néfastes sur la santé que les individus se retrouvent victimes de ce mode de transport. La région de la baie de San Francisco, qui inclut notamment la Silicon Valley, les universités de Stanford et Berkeley, et le port d'Oakland, n'est desservie que par une seule ligne de chemin de fer pour une population de près de 7 millions d'habitants. Cette région est donc paralysée par le trafic automobile, qui immobilise certains conducteurs plusieurs heures chaque jour dans leur véhicule. La vitesse moyenne de déplacement dans la ville de Londres n'était en 2000 guère plus élevée que la vitesse des carrosses d'il y a un siècle. Les aspirations du public commencent à diverger des politiques gouvernementales et une demande pour des moyens de transport en commun apparaît, qui est l'occasion de renverser la tendance environnementale.

Cet exemple illustre un aspect important des changements environnementaux, et ajoute un niveau de complexité à leur compréhension. Lorsque les impacts environnementaux de certaines activités humaines deviennent significatifs, ils conduisent à une modification de ces activités humaines, en affectant la demande pour des ressources, les opportunités économiques liées à l'environnement, la vulnérabilité des sociétés humaines, l'attitude du public face à l'environnement, les modes de gestion des ressources et les politiques qui touchent à l'environnement. Ces rétroactions peuvent être positives ou négatives, c'est-à-dire qu'elles peuvent amplifier ou atténuer le changement environnemental. Dans l'exemple de la voiture, cette rétroaction a été positive, puis est devenue négative lorsqu'un seuil a été franchi. Ce phénomène donne lieu à une évolution complexe, non linéaire et difficilement prévisible des interactions entre l'activité humaine et son environnement.

L'enchevêtrement des niveaux local, régional, national et mondial

La dernière source de complexité dans l'analyse des changements environnementaux provient de l'interaction entre des causes issues des niveaux local, national, régional et mondial. Ces différentes causes s'influencent dans les deux directions : du mondial vers le local, comme illustré par l'impact croissant de la mondialisation sur les sociétés locales, mais aussi du local vers le mondial, puisque de nombreuses institutions et mouvements mondiaux trouvent leurs racines dans des évolutions locales. Par exemple, les dégradations environnementales qui se produisent en différents endroits de la planète ont été à la base du développement de mouvements écologistes mondiaux tels que Greenpeace ou le Fonds mondial pour la nature (World Wildlife Fund) et de la signature de conventions internationales sur l'environnement. Et le forum social mondial de Porto Alegre (Bombay en 2004) fédère, à un niveau mondial, de nombreuses initiatives locales.

La séquence typique d'événements qui ont conduit à la déforestation en Amazonie à partir des années soixante illustre clairement l'interaction entre des facteurs issus de plusieurs niveaux hiérarchiques. Jusque dans les années soixante, les vastes forêts d'Amazonie étaient occupées par des populations indigènes et des colons qui collectaient le latex des hévéas pour la production du caoutchouc (principalement entre 1860 et 1912). Ces acteurs n'avaient que peu ou pas d'influence sur les facteurs extérieurs à l'Amazonie qui ont conduit à sa colonisation.

La décision des gouvernements nationaux, en particulier au Brésil, de développer le front pionnier agricole a déclenché des migrations massives en Amazonie. Ces décisions étaient motivées par la volonté géopolitique d'asseoir l'emprise de l'État sur les territoires amazoniens et de légitimer le pouvoir du gouvernement au niveau national. Elles répondaient aussi à une logique économique, notamment au besoin d'attirer des investissements en capitaux, de créer de nouvelles opportunités pour les marchés nationaux et de rembourser la dette du Brésil. Enfin, elles étaient un moyen de promouvoir les intérêts des grands propriétaires fonciers et des industriels qui exploitent les ressources naturelles, traditionnellement proches du pouvoir, au point d'influencer les décisions prises dans le sens de leurs intérêts.

Ces facteurs à l'échelle nationale ont donné lieu à un développement régional de l'Amazonie, fondé sur l'industrie extractive du bois et des minerais, sur la construction de grands barrages, sur des programmes gouvernementaux de réinstallation des migrants le long des nouvelles routes (telle la Transamazonienne, longue de cinq mille kilomètres) et sur des projets agricoles. Ces activités ont généré un flux de migrations spontanées, renforcé par le développement des infrastructures de base (routes secondaires, électrification des zones rurales, services de santé, apport en eau potable). Ainsi, 81 % de la déforestation dans l'Amazonie brésilienne entre 1991 et 1994 a eu lieu à moins de cinquante kilomètres de quatre grandes routes.

Ces migrants arrivaient du Nordeste – région frappée, dans les années soixante-dix, par une longue sécheresse et dans laquelle la distribution des terres était inégale – et des États au sud de la forêt – de grandes plantations y avaient abandonné la culture du café, aux cours instables, pour se convertir à celle du soja, mécanisée et rémunératrice, laissant de nombreux ouvriers agricoles sans terre et sans emploi. Un slogan gouvernemental de l'époque, au Brésil, encourageait la migration : « L'Amazonie, une terre sans hommes pour des hommes sans terre. » La colonisation de l'Amazonie a donc également été un moyen de soulager les tensions sociales dans les régions du sud de l'Amazonie et du Nordeste.

À l'échelle locale, au cœur de l'Amazonie, les phases d'extraction du bois et de colonisation des terres par de petits paysans pauvres et incapables de maintenir des rendements agricoles élevés pendant plus de quelques années, ont été suivies par l'établissement de colons bénéficiant d'un meilleur accès aux capitaux. Profitant de subsides gouvernementaux et d'incitants fiscaux, ils ont investi dans de grands ranchs et se sont adonnés à l'élevage. Le taux d'inflation élevé a fait de l'achat et du défrichement des terres amazoniennes un investissement spéculatif rentable, et ces colons sont entrés en compétition avec les petits propriétaires, occasionnant parfois des conflits armés.

L'assassinat, en 1988, de Chico Mendes, modeste collecteur de latex au cœur de l'Amazonie devenu le défenseur mondialement connu de la forêt amazonienne, atteste de la violence de ces conflits. Quelques jours avant son assassinat, il déclarait : « À ma mort, je ne veux pas de fleurs, car je sais que vous allez les arracher à la forêt… Comme moi, les dirigeants des ouvriers du caoutchouc ont travaillé pour sauver la forêt amazonienne et démontrer que le progrès sans destruction est possible. »

Ceux qui ont remporté ces conflits fonciers ont augmenté la taille de leurs propriétés, alors que les perdants étaient refoulés vers un nouveau front pionnier, où la terre était moins accessible et moins onéreuse. Ils y ont à nouveau défriché la forêt ; à l'arrière de ce front pionnier, de petits centres urbains se sont développés, créant des marchés locaux pour les produits agricoles, de la viande et du bois de construction. L'extraction du bois tropical s'est orientée vers le marché mondial au fur et à mesure que les réserves en bois de valeur se sont épuisées dans les forêts d'Asie du Sud-Est.

La rencontre entre ces facteurs mondiaux, nationaux, régionaux et locaux a conduit à la destruction de 570 000 kilomètres carrés de forêts en Amazonie entre 1960 et 1995 (15 % de la superficie initiale de forêts) et la déforestation se poursuit à un rythme similaire. Les bénéfices économiques ont été maigres, puisque l'ensemble de l'Amazonie brésilienne représente 4 % du produit national brut du Brésil et que 50 % des 17 millions d'habitants de l'Amazonie vivent au-dessous du seuil de pauvreté.

Il a fallu une combinaison fortuite de facteurs pour conduire à ce désastre écologique. Si le prix mondial du café avait augmenté ou si une sécheresse ne s'était pas produite au Nordeste dans les années soixante-dix, si la tronçonneuse, produite pour la première fois en 1917, ne s'était pas si largement diffusée à partir des années cinquante – permettant l'abattage rapide et rentable des grands arbres de valeur –, l'Amazonie n'aurait pas connu le même sort.

En 2002 et en 2003, la déforestation en Amazonie brésilienne s'est encore accélérée, stimulée par la croissance des exportations de viande et de soja.

La mondialisation responsable ?

La plupart des changements environnementaux ont, parmi un grand nombre d'autres causes, des causes d'ordre mondial. Alors que les mouvements antimondialistes et altermondialistes clament que la mondialisation est synonyme de destruction écologique, des institutions économiques pensent, au contraire, que la mondialisation contribue au progrès, notamment à une « modernisation écologique ». Qui a raison ? L'existence de changements environnementaux d'ampleur mondiale ne suffit pas à établir la culpabilité de la mondialisation dans ces changements. La question mérite donc une plus grande attention.

Le concept de mondialisation est trop souvent réduit à sa dimension économique, en particulier à la libéralisation des marchés au-delà des frontières. Plus largement, la mondialisation est l'ensemble des processus qui suppriment les barrières régionales et favorisent les flux des personnes, des capitaux, des marchandises et des informations à l'échelle de la planète, ainsi que la prise de conscience du fait que le monde fonctionne comme un tout. Ce concept inclut la diffusion de nouvelles normes et valeurs par les médias, l'émergence d'une société civile mondiale, l'expansion du tourisme et un renforcement des politiques internationales.

La mondialisation s'est accélérée au cours des dernières décennies. Est-elle un phénomène véritablement nouveau ou simplement la suite de processus qui ont débuté avec l'émergence du capitalisme, il y a près de quatre cents ans ? Marco Polo, plus tôt encore, puis Christophe Colomb n'ont-ils pas été les pionniers de la mondialisation ? L'Indien du Mexique qui, en 1518, vit débarquer Cortès, amenant massacres, maladies et esclavagisme, cet Indien dont l'or fut exporté vers l'Europe et l'agriculture ancestrale abandonnée au profit de pratiques d'élevage copiées sur ce qui se faisait dans la péninsule ibérique, pourrait bien être la première victime de la mondialisation. Sa vie, en effet, a été bien plus bouleversée par cette forme primitive (aux deux sens du terme) d'échange international que le fut celle de son descendant qui, aujourd'hui, se connecte à Internet depuis son appartement de Mexico City. La mondialisation aurait donc débuté vers le XVe siècle, se serait accélérée une première fois à la fin du XIXe siècle puis une seconde fois à partir des années quatre-vingt.

Par leur caractère multiforme, les effets de la mondialisation ne convergent pas toujours. La mondialisation a le pouvoir d'amplifier ou d'atténuer les causes des changements environnementaux. L'argument qui attribue à la mondialisation une responsabilité importante dans la détérioration environnementale de la planète est le suivant : les marchés ne sont plus locaux mais mondiaux ; la demande et l'offre mondiales règlent l'exploitation de ressources locales parfois essentielles pour le bon fonctionnement des écosystèmes ; alors que, jadis, chaque communauté régulait l'utilisation de son terroir, de nos jours, ceux-ci sont dominés par les mécanismes aveugles, anonymes et sans états d'âme du marché international.

Ainsi, les forêts tropicales d'Asie du Sud-Est ont été dégradées pour produire du mobilier en bois tropical apprécié dans les pays industrialisés. Le rhinocéros d'Afrique frôle l'extinction car, en Asie orientale, sa corne est supposée avoir des vertus médicales. En outre, la libéralisation des capitaux et la suppression des mesures de protection des marchés locaux favorisent les investissements dans les régions qui bénéficient d'avantages compétitifs, ce qui amène une spécialisation géographique accrue des activités, avec pour conséquence une diminution de la diversité locale des paysages, donc une diminution de leur stabilité écologique et de leur valeur esthétique.

Mais une telle spécialisation favorise l'adéquation entre les activités économiques et le potentiel écologique d'une région, évitant une exploitation inappropriée des écosystèmes. La pression sur les terres marginales et fragiles diminue au profit de zones à plus fort potentiel, exploitées en priorité. La mondialisation apporte aussi des certifications écologiques mondiales, qui permettent aux consommateurs du monde entier de choisir entre des produits dont la production sur un mode « durable » a été établie – bien que ce système doive encore être amélioré. Les marchés liés à la préservation des ressources naturelles se développent, comme en témoigne la croissance mondiale de l'écotourisme et des initiatives privées de protection d'espèces menacées. Tout cela contribue à créer de nouvelles opportunités économiques et amène une plus grande efficacité dans l'utilisation des ressources naturelles.

Comme l'urbanisation, la mondialisation accroît le fossé entre les consommateurs de ressources naturelles et les terroirs qui les produisent. La réponse de ces terroirs aux pressions de production n'est donc pas perçue de manière directe et les comportements des consommateurs ne s'ajustent plus à une éventuelle dégradation des écosystèmes. Les rétroactions négatives liées à l'exploitation de l'environnement s'affaiblissent. Mais la mondialisation de l'information permet à l'opinion publique de savoir ce qui se passe à l'autre bout de la planète et de faire pression sur les gouvernements concernés, par l'intermédiaire d'organisations écologistes non gouvernementales et transnationales. La mondialisation rend aussi plus largement disponibles et plus efficaces les savoirs scientifiques et les technologies nécessaires à la résolution des déséquilibres écologiques, par exemple par une utilisation plus efficace de l'énergie. Les conventions internationales permettent finalement de créer un cadre légal pour la protection du climat, de la biodiversité ou de la couche d'ozone de la planète.

Il est difficile de prévoir l'impact de la mondialisation sur un écosystème particulier. Elle peut amplifier ou atténuer les déterminants classiques de l'impact humain (modes de consommation, technologies de production, institutions, gouvernance, population, valeurs et attitudes). C'est précisément cette incertitude qui suscite autant de craintes : il devient difficile d'anticiper les changements. Mais si chaque communauté perd une part de son autonomie et devient plus vulnérable (hausse du prix du pétrole, dévaluations, crises financières) au fur et à mesure qu'elle s'intègre au réseau mondial, elle profite de valeurs, de formes d'expression et de modes de production nouveaux et accroît ainsi la diversité des réponses qu'elle peut apporter aux perturbations extérieures. Par exemple, le paysan victime d'inondations peut plus facilement bénéficier de la solidarité internationale dans un monde interconnecté.

Ces nouvelles options, ces mélanges culturels, cette augmentation vertigineuse des trajectoires possibles et la perte partielle de contrôle de chaque communauté sur sa destinée sont sans doute la véritable source tant des inquiétudes que des espoirs à propos de la mondialisation.

Résoudre les changements écologiques globaux passe nécessairement par des actions coordonnées à l'échelle mondiale, donc un renforcement des institutions internationales. Mais cela nécessite évidemment de s'assurer que ces institutions travaillent pour le bien mondial et ne servent pas uniquement les intérêts de quelques privilégiés.

La cause ultime des changements environnementaux

L'impact de l'activité humaine sur l'environnement s'est accéléré au XXe siècle sous le faisceau d'une constellation de causes : expansion économique sans précédent, industrialisation et réorganisation des modes de production, innovations technologiques, consommation de masse, développement de nouvelles sources d'énergie (en particulier les combustibles fossiles), expansion rapide de la population mondiale, redistribution géographique de cette population par des migrations, urbanisation galopante partout dans le monde, intégration croissante des économies, contexte international conflictuel, impérialisme politique et économique, perte du caractère sacré de la nature, développement d'une vision scientifique du monde, prévalence de la pensée économique (qui a ignoré la nature pendant un siècle), force de l'idéologie qui a imposé la croissance économique comme impératif… Toutes ces causes se sont renforcées pour mener l'histoire humaine à la civilisation contemporaine.

Mais est-il possible de remonter encore dans les causes des changements environnementaux pour atteindre une cause « ultime » à ce formidable processus ? L'histoire environnementale étant le résultat d'une multitude de décisions, c'est au niveau des agents individuels qui prennent ces décisions qu'il faut rechercher cette cause première. Il paraît raisonnable de faire l'hypothèse que les décisions individuelles de consommer une quantité croissante de biens et de services sont à la base de l'évolution qui, en quelques siècles, a bouleversé l'environnement terrestre, même si, comme dans le problème de la poule et de l'œuf, l'évolution de la consommation a été dépendante des facteurs cités précédemment.

Au cours des siècles, la croissance de la consommation a amélioré le régime alimentaire et permis l'accès à des services de santé et des produits d'hygiène (savons, vêtements en coton lavables), toutes choses qui ont accru l'espérance de vie. L'ajustement de la natalité à la baisse de la mortalité se faisant avec un décalage dans le temps, une croissance de la population s'en est suivie (transition démographique). L'augmentation de la consommation par personne et du nombre de personnes a requis une augmentation de la production. La rareté des ressources a stimulé des innovations technologiques majeures. Les ressources indispensables à l'expansion des économies ont été recherchées sur des territoires de plus en plus éloignés, ce qui a suscité des politiques impérialistes et coloniales, au prix de l'assujettissement de certaines populations, projetées dans une spirale de pauvreté, vulnérabilité et dégradation de l'environnement. La recherche d'une production et d'une consommation plus intenses a poussé les populations vers les villes, favorisant l'émergence de valeurs qui sécularisent et instrumentalisent la nature.

En quelques siècles, la consommation a, à l'échelle mondiale, augmenté plus rapidement que la population. Selon l'historien américain John McNeill, de 1890 à 1990, la population mondiale a été multipliée par quatre alors que la consommation en produits industriels était multipliée par quarante, la consommation énergétique par seize, la consommation en eau par neuf, la consommation de poissons par trente-cinq et le volume total de l'économie mondiale par quatorze. Ce décalage entre la croissance de la population et celle de la consommation est encore plus fort dans les pays aux économies avancées, responsables pour une large part des changements environnementaux à l'échelle mondiale alors que, dans les pays les plus pauvres de la planète, la consommation peine à suivre la croissance démographique.

Ce processus est l'histoire de la civilisation occidentale au cours des derniers siècles, mais aussi celui, à plus petite échelle, de nombreuses sociétés anciennes en différents lieux et à différentes époques, tout au long de l'histoire humaine. Il ne dépend pas fondamentalement des modes d'organisation de la production et de la société, puisque l'utilisation prédatrice des ressources naturelles, sans considération pour la destruction écologique qui l'accompagnait, a eu lieu tant dans les systèmes capitalistes que dans les pays socialistes. Toutes les grandes civilisations ont ainsi modifié leur environnement naturel au cours de l'histoire, de l'Extrême-Orient à la Méso-Amérique. Ce n'est donc pas un privilège des civilisations judéo-chrétiennes, même si ces dernières ont, de loin, surpassé toutes les autres par leur impact environnemental : et dans ce cas comme dans les autres, la croissance insatiable du désir de possession de biens matériels, la consommation, semble bien la racine du problème.

La consommation, cause ultime ?

Des chercheurs ont estimé que la consommation énergétique dans une tribu « primitive » dont la population était en bonne santé était de l'ordre de 0,11 kilowatt par habitant alors qu'elle était de 11 kilowatts par habitant aux États-Unis, à la fin du XXe siècle. La consommation en matières diverses (à l'exception de l'eau) était de 3,6 kilogrammes par habitant par jour dans une tribu primitive, et de 58,7 kilogrammes par habitant par jour aux États-Unis. 99 % de cette consommation était composée de produits recyclables dans une tribu primitive, contre seulement 0,6 % aux États-Unis.

Le psychologue américain Abraham Maslow a distingué plusieurs types de besoins fondamentaux qui motivent la consommation et que l'on peut hiérarchiser : besoins physiologiques (se nourrir, s'abriter…), besoins de sécurité (assurer sa sécurité physique et psychologique, son identité), besoins sociaux (s'intégrer à un groupe, aimer et être aimé…), besoins d'estime (établir sa dignité personnelle, maintenir une confiance en soi, être respecté, avoir un rang social) et besoins d'accomplissement (se réaliser soi-même, évoluer à titre personnel, donner un sens aux choses). Les besoins « supérieurs » n'acquièrent un rôle important qu'une fois les besoins « inférieurs » satisfaits : les besoins évoluent en fonction du développement des individus et des sociétés. Ils passent d'un impératif de survie à des objectifs liés au style de vie et à la qualité de vie.

Les besoins « génériques », c'est-à-dire inhérents à la nature humaine, sont insatiables. En revanche, les besoins « dérivés » – c'est-à-dire les réponses technologiques du moment aux besoins génériques – peuvent être saturés. Par exemple, le besoin de déplacement individuel, autonome et rapide (besoin générique) ne pourrait être parfaitement rempli que si nous acquérions le don d'ubiquité. Mais la possession d'une voiture performante et confortable (besoin dérivé) permet de le satisfaire de la manière la plus avancée possible, aujourd'hui. Dans quelques décennies, l'hélicoptère personnel (forme technologiquement plus avancée de besoin dérivé) pourrait devenir la manière du moment par laquelle le besoin de déplacement sera satisfait.

Keynes établit une autre distinction, entre les besoins « absolus », ressentis quelle que soit la situation (se nourrir, se désaltérer), et les besoins « relatifs » (porter des vêtements à la mode, avoir un corps d'apparence jeune et une condition physique d'athlète), « dont la satisfaction nous fait planer au-dessus de nos semblables et nous donne un sentiment de supériorité vis-à-vis d'eux ». Alors que les besoins absolus peuvent être saturés, les besoins relatifs sont insatiables : l'écart entre le niveau de consommation présent et le niveau de consommation auquel on aspire ne se comble jamais, ces deux niveaux de consommation se déplaçant continuellement et parallèlement vers le haut.

Dans les pays industrialisés, la recherche d'une satisfaction des besoins associés à la subsistance, à une bonne santé, à un standard de vie décent et à une vie digne, libre et créative (besoins absolus) n'explique plus qu'une fraction de la consommation des ménages. La consommation de certains biens atteint d'ailleurs des proportions telles qu'elle menace la santé des individus : aux États-Unis, l'excès de poids affecte les deux tiers de la population (l'obésité un tiers de la population). Les risques médicaux posés par l'obésité et une consommation alimentaire excessive suscitent une nouvelle consommation : alors que l'industrie alimentaire américaine dépense chaque année 30 milliards de dollars en publicité pour persuader les consommateurs de manger plus encore, ces mêmes consommateurs dépensent 33 milliards de dollars par an pour tenter de perdre du poids – en vain, la plupart du temps. Donc, à une première forme de consommation malsaine, qui a un impact sur l'environnement (pression sur la production alimentaire, consommation d'emballages non biodégradables) s'ajoute une seconde consommation qui vise à résoudre le problème, et qui a également un impact sur l'environnement (médicaments pour maigrir ou soigner les problèmes de santé liés à l'obésité, incinération des déchets).

Historiquement, une augmentation de la consommation est associée à la sédentarisation des sociétés humaines. Les sociétés préhistoriques étaient organisées en clans nomades de petite taille, qui correspondaient à des familles élargies. Ces relations familiales favorisaient une organisation sociale égalitaire. Ces sociétés subsistaient grâce à la chasse et la collecte de produits naturels. Tant la mobilité que l'organisation sociale de ces clans limitaient leur consommation. Les déplacements fréquents pour suivre les cycles saisonniers de migration du gibier, de croissance des plantes naturelles et des disponibilités en eau limitaient, vu les moyens de transport rudimentaires de l'époque, les biens de chacun.

La sédentarisation des sociétés, permise par la domestication des plantes et l'invention de l'agriculture, s'est accompagnée d'une modification profonde de l'organisation sociale et politique des sociétés anciennes et a donné naissance aux premières sociétés urbaines. Parmi les mutations qui ont accompagné l'émergence de ces sociétés plus complexes, la différenciation du statut social des membres et l'émergence d'une classe dirigeante semblent avoir eu un impact déterminant sur la consommation et sur l'environnement.

Consommation et compétition sociale

Avec la structure hiérarchique des sociétés est apparu le besoin d'établir, de faire connaître et de conforter son statut social, son pouvoir et ses privilèges par la consommation de biens de prestige. L'élite dirigeante a alors encouragé l'augmentation de la production, dont le surplus était consacré à l'acquisition ou à la création de ces nouveaux biens de prestige qui élargissaient son pouvoir et son capital, tout en diminuant sa vulnérabilité face à des risques extérieurs : en période de troubles politiques ou de fluctuations climatiques, ces biens qui, contrairement aux réserves alimentaires, ne se détérioraient pour la plupart pas au cours du temps, pouvaient être échangés contre de la nourriture. Cette évolution, qui a été le point de départ d'une production excessive dans l'histoire des sociétés humaines, a été permise par la reconnaissance du concept abstrait de « valeur », associé à quelque chose d'aussi hautement désiré que le pouvoir et l'accès à des privilèges.

Consommation et aspiration au pouvoir sont donc intimement liées. Le chef de tribu ou de famille ne s'est-il pas toujours arrogé le droit de consommer avant et plus que les autres ? Le *Chief Executive Officer* des grandes entreprises ne s'attribue-t-il pas une rémunération considérablement plus élevée que celle de ses employés ? Le pays le plus puissant de la planète ne consomme-t-il et ne pollue-t-il pas beaucoup plus que tout autre ?

L'évolution sociale confirme que la consommation matérielle est en partie déterminée par une compétition pour le statut social, en ce qui concerne les biens relatifs au sens de Keynes. Dans la société de consommation de masse, ce processus s'est considérablement amplifié puisque, à partir de la fin de la Grande Dépression des années trente, la majorité de la population des pays riches a pu accéder à la consommation de biens non essentiels et de biens de prestige.

Ce moteur social et symbolique de la consommation est pernicieux car il conduit à une escalade sans limites :

la consommation d'un bien de prestige par une personne qui aspire à rehausser son statut est immédiatement imitée par des personnes qui estiment mériter un statut similaire, suscitant aussitôt une consommation plus élevée de la part de la personne qui aspire à un statut supérieur, etc. En d'autres termes, « le luxe des autres devient à chacun sa propre nécessité » (Alain Cotta, économiste français). La consommation a, en quelque sorte, remplacé les tournois chevaleresques d'antan comme moyen privilégié de compétition sociale.

Il y a quelques décennies, le consommateur de référence était un voisin, certes un peu plus riche mais issu de la même classe sociale. Avec l'effondrement des relations de voisinage et avec l'entrée des femmes dans l'entreprise, les modèles de consommation se sont transposés sur le lieu du travail, au sein duquel chacun est exposé à un spectre plus large de classes sociales que dans son quartier. Selon la sociologue américaine Juliet Schor, les stars et les riches personnages fictifs qu'elles incarnent dans les séries télévisées sont mêmes devenus les références par rapport auxquelles chacun émule sa consommation. Aux États-Unis, une corrélation a été établie entre le nombre d'heures passées à regarder la télévision et les dépenses de consommation.

Lorsque les modèles de consommation de quelques personnages opulents – réels ou virtuels – deviennent la cible des classes sociales à revenus moyens et des habitants des pays en voie de développement, le fossé entre la consommation à laquelle les gens aspirent et les revenus dont ils disposent se creuse au point de ne jamais pouvoir être comblé. Ceci crée un état permanent d'insatisfaction. Cette dialectique des besoins relatifs et cette frustration structurelle rendent impossible une saturation des besoins et entraînent la croissance sans fin de la consommation des individus. C'est la tragédie de la société de consommation moderne, qui trouve sa limite écologique avec la formule de Gandhi : « La Terre a assez de ressources pour satisfaire les besoins de chacun, mais pas assez pour l'avidité de chacun. »

Les stratégies publicitaires exploitent habilement ces processus de compétition et d'émulation. Le mode de consommation non seulement reflète les inégalités sociales mais les accentue. Dans la société moderne, la voiture est, pour les hommes, le moyen par excellence de faire preuve de *bella figura*, comme disent élégamment les Italiens. Il y a quelques décennies, les manteaux de fourrure remplissaient cette fonction pour les femmes de la haute société. Il en est de même du lancement de vaisseaux spatiaux pour les grandes puissances, du nombre de vaches pour le pasteur masai, des vêtements à la mode pour l'adolescent et de certains jouets pour l'enfant.

Chaque culture et sous-culture redéfinit en permanence les formes de consommation associées à différents niveaux de prestige social. Dans toutes les cultures, la consommation ostentatoire est le moyen privilégié pour manifester son statut. Les médias, qui débordent de publicités commerciales, concourent fondamentalement à l'émulation à l'échelle mondiale de certaines formes de consommation de prestige. Ainsi, certains biens jadis considérés comme un luxe superflu apparaissent aujourd'hui comme des nécessités : la télévision, le téléphone portable, l'ordinateur personnel…

D'autres motivations poussent à une augmentation du bien-être par une consommation élevée : la recherche du confort, qui réduit les tensions personnelles par la satisfaction de besoins élémentaires ; la recherche de stimulation, qui lutte contre l'ennui par la nouveauté, le changement, le risque, des surprises, etc. ; la recherche de plaisirs et de satisfactions à court terme pour répondre à des besoins créés par la subjectivité au cours de l'histoire personnelle ou par la pression de la publicité.

L'organisation sociale stimule, elle aussi, la consommation : la diminution du nombre de personnes par unité d'habitation familiale, suite à une fragmentation accrue des familles, augmente la consommation en logements, en appareils électroménagers, en biens circulant au sein d'un ménage (livres, journaux...), etc. Un même nombre de personnes réparties dans un plus grand nombre d'habitations séparées consomme forcément plus.

Réorienter la consommation

L'impact environnemental de la consommation dépend de sa quantité mais également de sa composition : quantité d'énergie et de ressources qu'intègrent les biens de consommation, déchets et l'émission de pollution qu'ils créent. S'il paraît peu réaliste de diminuer quantitativement la consommation – le besoin de statut social, d'accomplissement, de confort et de plaisir sera le moteur d'une croissance sans fin des besoins relatifs, c'est-à-dire des besoins qui nous procurent un sentiment de supériorité vis-à-vis de nos semblables –, une réorientation de la consommation vers des biens dont l'impact environnemental est moindre paraît plus réaliste, pour réduire les changements environnementaux.

Il s'agit de réorienter les besoins vers une consommation riche sur le plan qualitatif plutôt que sur le plan quantitatif (être cultivé plutôt que posséder une grosse voiture) et vers une consommation qui affecte peu l'environnement (visiter un musée ou faire un jogging sur une plage plutôt qu'assister à une course automobile ou pratiquer le moto-cross). Le respect des autres, le statut social et la réalisation de soi passeraient par un mode de vie sobre et altruiste plutôt que par une dispersion dans un luxe superficiel. La majorité des besoins est d'origine culturelle. Une évolution de la structure des besoins passe donc par une modification culturelle et sociale. Les moyens les plus efficaces pour réussir une telle mutation sont les institutions qui contrôlent les valeurs transmises aux nouvelles générations, en particulier la famille, le système d'éducation et les médias.

Les politiques nationales offrent également des moyens puissants pour orienter la consommation. Par exemple, le prix de l'essence et, dans une moindre mesure, celui de l'électricité sont moins élevés aux États-Unis qu'au Japon : alors que le revenu par habitant aux États-Unis n'est que de 15 % plus élevé que le revenu par habitant au Japon, la consommation d'énergie d'un ménage américain est double par rapport à celle d'un ménage japonais. Le coût élevé de l'énergie a incité l'industrie japonaise à se montrer efficace dans l'utilisation de l'énergie et les consommateurs japonais à adopter un mode de vie économe en énergie. Un Américain effectue 85 % de ses déplacements en voiture alors que ce chiffre est de 55 % pour le Japonais.

Des différences de ce type reflètent des préférences culturelles et des modes de vie différents, forgés au fil du temps en réponse à des politiques et à l'information véhiculée par les médias dans chaque pays.

Chapitre 5

Dégradation ou restauration écologique

Alors que certaines sociétés et civilisations ont fait preuve d'une longévité impressionnante (les sociétés complexes d'Égypte, de Chine, du Japon et de Java), d'autres ont dégradé la base écologique de leur économie au point de s'effondrer et de disparaître. C'est le cas notamment de nombreuses petites sociétés polynésiennes des îles du Pacifique (dont celle de l'île de Pâques), des civilisations des Indiens Anasazi au sud-ouest des États-Unis, d'Angkor en Asie du Sud-Est et des Mayas de la période classique. La disparition des colonies de Vikings au Groenland, au Moyen Âge, s'explique en partie par le surpâturage mais aussi par un manque d'adaptation au refroidissement climatique de l'époque.

De nombreuses sociétés ont disparu après avoir colonisé une île auparavant inhabitée, dans laquelle la faune n'avait pas développé un comportement de méfiance face aux prédateurs humains. Cette faune a alors été rapidement exterminée par les nouveaux occupants, pour qui cette réserve de nourriture était facilement accessible. L'absence de mécanisme de régulation a ensuite entraîné l'effondrement de ces sociétés trop avides, incapables de planifier leur survie à long terme. Telle fut la destinée des sociétés polynésiennes qui avaient colonisé les îles Mangaia, Henderson, Necker, Pitcairn et Norfolk, ainsi que l'île Kahoolawe à Hawai et l'île du sud en Nouvelle-Zélande, toutes perdues dans l'océan Pacifique.

D'autres sociétés se sont effondrées du fait de leur vulnérabilité face à un climat aride, sous lequel la végétation ne récupère que lentement après sa destruction par l'homme, et les sols mis à nu s'érodent rapidement. Ces conditions furent fatales à la civilisation des Anasazis, ces Amérindiens du sud-ouest de l'Amérique du Nord (culture de Pueblo).

Hormis ces situations particulières, la plupart des sociétés, qu'elles soient durables ou non, ont suivi une trajectoire de développement dont les grands traits sont, au départ, comparables : développement d'une structure sociale complexe et stratifiée, centralisation du pouvoir politique, augmentation de la taille de la population et du territoire soumis à une organisation commune, spécialisation des activités économiques, coordination accrue entre groupes accomplissant des tâches différentes, intensification de l'agriculture, urbanisation, développement du commerce, petites guerres aux frontières du territoire et émergence d'une élite religieuse et militaire. Ce type de trajectoire a mené toutes ces sociétés à un point critique où des choix importants s'imposaient : innover sur le plan institutionnel et technologique, ou poursuivre une expansion sans ajustement des systèmes économique, social et politique, au point de dégrader la base environnementale de la société.

Dans certains cas, l'importance de cette bifurcation n'était pas perçue : les acteurs clés n'ont pas eu la volonté ou la capacité de faire les bons choix, ou encore des événements externes (climatiques, par exemple) ont poussé la société sur la voie d'une dégradation écologique.

Ces sociétés ont connu un déclin économique et politique qui, dans les cas extrêmes, a mené à l'effondrement de la société. Dans d'autres cas, les bons choix ont été faits au bon moment et la société s'est engagée dans la voie de l'innovation et de la restauration écologique. Ces sociétés se sont maintenues de manière durable et ont connu une certaine prospérité.

Nul doute que, dans l'histoire des sociétés anciennes, de telles bifurcations se sont présentées maintes fois, qu'il y a eu des secondes chances et des possibilités de rattrapage, et que les modalités précises sous lesquelles ces bifurcations sont apparues ont été différentes pour chacune des sociétés et chacune des périodes de leur histoire. Il est vrai également que la multitude des décisions qui orientent une société vers une trajectoire de développement plutôt que vers une autre s'étale sur une période relativement longue. La métaphore de la bifurcation qui surgit à un moment particulier est une simplification. Elle permet néanmoins de clarifier la réflexion sur les conditions d'une transition vers un développement durable.

La question générale qui nous préoccupe dans ce chapitre est de comprendre quels facteurs ont précipité certaines sociétés vers une dégradation environnementale, prélude à l'affaiblissement, voire à l'effondrement de leur civilisation, et d'autres vers un développement durable. Que se passe-t-il à la bifurcation ? Pourquoi une société emprunte-t-elle une voie plutôt que l'autre ? Quels événements déclenchent un processus d'innovation institutionnelle et technologique ou inhibent un tel processus ?

Avant de répondre à ces questions, il est utile d'examiner les histoires de l'effondrement de la civilisation maya et, à l'opposé, de la reforestation en Europe à partir du XIXe siècle : des exemples qui illustrent deux des extrêmes parmi le faisceau des trajectoires environnementales possibles.

L'effondrement de la civilisation maya

Au cours des derniers siècles, des colonisateurs, des aventuriers et des archéologues ont découvert, stupéfaits, les ruines silencieuses des anciens royaumes mayas à Copan, Tikal, Calakmul et Chichen Itza, au cœur de la forêt tropicale du Guatemala, du Honduras et du Yucatan au Mexique. Ces vestiges d'une grande civilisation ancienne dans le Nouveau Monde et de sa disparition abrupte, pour des raisons jadis mystérieuses, modifiaient de nombreuses conceptions sur le « Nouveau Monde ».

Cent cinquante années de recherches archéologiques ont révélé que la civilisation maya a été la civilisation ancienne la plus novatrice de toute l'Amérique, qu'elle a atteint un développement élevé dans les domaines des arts, des sciences et de l'organisation sociale. Les Mayas ont conçu plusieurs types de calendriers, inventé un système d'écriture complet, acquis des connaissances astronomiques élaborées, construit des édifices monumentaux et développé un réseau de centres administratifs et de cérémonie à travers un vaste territoire. Ils ont également écrit de nombreux livres qui, pour la plupart, ont été brûlés en 1562 par un missionnaire franciscain trop zélé.

Les plaines anciennement occupées par les Mayas s'étendent, en Amérique centrale, des montagnes du Chiapas au Guatemala jusqu'au golfe du Mexique et à la mer des Caraïbes. La pluviométrie varie de

4 000 millimètres par an dans les plaines au sud, à Belize et dans la région nord du Guatemala, à 440 millimètres sur la côte semi-aride au nord-ouest de la péninsule du Yucatan. À la fin du VIIIe siècle, 3 à 10 millions de personnes, suivant les estimations, vivaient sur ce territoire, avec des densités de 300 personnes par kilomètre carré dans certaines régions mais, au moment de la conquête espagnole, elles n'étaient plus que quelques centaines de milliers : cet effondrement démographique rapide a débuté sept cents ans avant la colonisation espagnole.

Les premiers établissements d'agriculteurs sédentaires dans la région remontent à 2500 avant Jésus-Christ. L'essentiel des défrichements agricoles n'a toutefois commencé que mille ans plus tard. L'amorce d'une organisation sociale et politique complexe apparaît entre 650 et 400 avant Jésus-Christ. Suit une période de changements spectaculaires, entre 400 avant Jésus-Christ et 250 après Jésus-Christ, pendant laquelle la population augmente rapidement, le commerce se développe, le style architectural maya s'impose et les symboles religieux et royaux ainsi que les premiers signes d'écriture apparaissent. Des traces de conflits militaires datant de cette époque sont visibles.

Les premières modifications importantes du paysage, notamment sous forme d'aménagements hydrauliques, datent de cette période. La civilisation maya classique était bien établie dès 300 après Jésus-Christ et poursuivit son développement pour arriver à une phase de maturité entre 600 et 800 – époque troublée en Europe.

Au zénith du développement de la civilisation maya, les trois quarts du territoire étaient défrichés pour l'agriculture. Entre quarante et cinquante centres autonomes mais interagissant et partageant une même culture avaient leurs propres lignes dynastiques. Des pouvoirs quasiment surnaturels étaient attribués aux rois. Ces centres étaient avant tout des cours royales ayant des fonctions de cérémonie et de prestige, dans lesquels avait lieu une consommation ostentatoire et prodigue de biens luxueux, dont certains apportés de loin.

L'architecture monumentale des Mayas, dont on peut admirer les ruines spectaculaires, avait pour fonction d'affirmer la suprématie des dirigeants et de leur entourage, et de rivaliser avec les cours royales voisines. Les paysans, qui représentaient 80 à 90 % de la population, étaient dispersés dans un rayon de quelques dizaines de kilomètres autour de ces centres.

Dès 550, ces royaumes formaient des alliances mouvantes et se déchiraient dans des guerres interminables, en particulier aux VIIe et VIIIe siècles. Bien qu'il n'y eût jamais de véritable unité politique, les royaumes mayas faisaient partie d'un large système et constituaient bien l'une des grandes civilisations anciennes du monde.

De manière brutale, au IXe siècle, cette civilisation a connu un effondrement social, politique et démographique. Le déclin s'est manifesté de plusieurs manières : disparition des rois, des traditions dynastiques et des nobles ; abandon des centres administratifs et résidentiels ; effondrement des échanges de biens et d'informations entre groupes ; interruption dans la construction de nouveaux temples, monuments funéraires et stèles ; arrêt de la production de biens de prestige destinés à l'élite tels que des poteries, des pierres sculptées et des bijoux en jade ; fin de l'utilisation des systèmes d'écriture et des calendriers de la période classique ; dissolution de la classe dirigeante ; diminution rapide de la population dans les centres et les campagnes (la plupart des grands centres ont été abandonnés à partir de 800 ; la population a diminué de 80 % en un siècle et de 90 à 99 % peu après).

Dans certains royaumes, ces événements ont été très rapides. Dans d'autres, l'effondrement des élites et l'interruption des fastes auxquels ils présidaient ont été abrupts mais la disparition de la population paysanne a été plus progressive, persistant dans certains cas jusque cent cinquante ans après la disparition de ses rois.

Après son éclipse, la société maya ne s'est jamais rétablie dans les parties sud et ouest de son territoire initial : la forêt tropicale a recouvert les ruines et les terres auparavant cultivées de manière intensive. L'incapacité de la société maya à récupérer, moyennant des ajustements de son système social et économique (c'est-à-dire son absence de résilience), est aussi étonnante que son effondrement rapide.

En revanche, au nord-ouest et à l'est du territoire maya, le long de la côte dans la péninsule du Yucatan, quelques nouveaux centres se sont établis après l'effondrement du IXe siècle, comme l'attestent les récits des premiers envahisseurs espagnols au début du XVIe siècle. Avant l'arrivée de Cortes, ces petits royaumes ont eux-mêmes connu des effondrements successifs, chaque fois suivis de la migration d'une partie de la population paysanne vers un autre centre. Le dernier petit royaume maya indépendant a perduré jusqu'à la fin du XVIIe siècle, au cœur de la forêt du Guatemala. Il ne comptait plus que quelques dizaines de milliers de personnes et fut écrasé par l'armée espagnole en 1697 en quelques heures de combat. Ces centres résiduels étaient plus isolés et petits que ce qui existait pendant la période classique. La société maya avait perdu l'essentiel de sa splendeur, de sa force et de sa taille d'antan.

Les causes de l'effondrement de la civilisation maya

De nombreuses hypothèses ont été invoquées pour expliquer l'effondrement de la civilisation maya. Ces explications incluent des causes endogènes – une érosion des sols, une surpopulation, une agriculture inadaptée, une révolte des paysans, des conflits militaires, des croyances religieuses ou des superstitions –, parfois des causes exogènes – une perturbation des réseaux d'échanges commerciaux avec l'extérieur, une invasion de peuples voisins venus du Mexique, des tremblements de terre, des ouragans dévastateurs, un changement climatique, des épidémies ou l'invasion d'insectes nuisibles pour les cultures.

Une reconstruction minutieuse de la civilisation maya par plusieurs générations d'archéologues a révélé qu'en réalité un ensemble de causes est à l'origine de cet effondrement. Bien que des zones d'ombre ou de désaccord subsistent, une histoire cohérente s'est progressivement dégagée.

Selon l'archéologue américain David Webster, quatre facteurs dont certains interagissaient, ont déclenché la crise : une dégradation environnementale causée par des pratiques agricoles inadaptées ; l'effet déstabilisateur des tensions sociopolitiques internes, des guerres locales et d'une compétition aiguë pour les ressources ; le rejet de l'idéologie et des institutions de la royauté causé par l'incapacité de ces institutions à offrir des solutions efficaces aux problèmes de l'époque ; et une série de sécheresses, particulièrement sévères aux IXe et Xe siècles.

Ces facteurs ont, par ailleurs, créé ou exacerbé des perturbations secondaires, telles qu'une plus grande difficulté à s'approvisionner en eau, des révoltes paysannes et des maladies liées à la malnutrition. Le poids relatif de ces causes, les circonstances et la chronologie de l'effondrement des multiples royaumes ont légèrement varié suivant les régions.

Sur l'ensemble du territoire, la croissance de la population maya a conduit à une déforestation rapide et à une mise en culture de terres aux sols de plus en plus fragiles et de moins en moins fertiles, après que tous les sols riches des vallées eurent été occupés. La population augmentant toujours, le système traditionnel d'agriculture itinérante sur brûlis, fondé sur de longues jachères pour permettre une restauration naturelle de la fertilité du sol, a nécessairement été abandonné au profit d'une agriculture presque permanente. Les périodes de jachère devenant trop courtes pour maintenir la fertilité des sols, les rendements agricoles ont diminué. L'absence de grands animaux domestiques rendait impossible l'utilisation du fumier animal comme engrais organique. Une importante érosion a affecté les sols tropicaux, par nature pauvres et fragiles, après qu'ils eurent été dénudés de leur couvert forestier.

En plusieurs endroits – mais pas à Tikal, le plus grand centre maya, et très peu à Copan, autre centre d'importance –, des terrasses ont été construites à flanc de colline pour lutter contre l'érosion de sols. Des marécages ont été drainés et aménagés pour étendre l'agriculture à ces zones humides.

Ces mesures, coûteuses en main-d'œuvre, ont été insuffisantes ou trop tardives pour répondre aux besoins alimentaires d'une population toujours croissante, et pour éviter une dégradation sévère de l'environnement. L'étude des sédiments anciens dans des lacs proches de centres mayas révèle une érosion rapide et un appauvrissement en éléments nutritifs des sols agricoles, qui coïncident avec la déforestation du territoire maya. Cette destruction de l'environnement a culminé vers 800. La déforestation a également entraîné une raréfaction des ressources en bois pour la construction et la cuisson d'aliments, ainsi que la disparition du gibier, unique source de protéines animales.

La saturation démographique des terres agricoles était amplifiée par le regroupement des populations autour des quelques grands centres religieux et royaux. Les agriculteurs occupaient de manière continue un territoire situé à moins d'une ou deux journées de marche des centres. Les densités de population à proximité immédiate de ces centres pouvaient être élevées : plus de cinq cents personnes par kilomètre carré à proximité de Tikal et neuf cents personnes par kilomètre carré autour de Copan.

Cette concentration était en partie motivée par la volonté de l'élite dirigeante d'augmenter la population d'agriculteurs de laquelle ils pouvaient extraire un surplus pour approvisionner la cour royale et dont ils pouvaient utiliser la main-d'œuvre pour la construction des temples et les armées : en l'absence de système de transport efficace, l'élite avait besoin que cette population de paysans se concentre en périphérie immédiate des centres. De ce fait, alors que les nobles et les rois, bien nourris, étaient en bonne santé, de grande stature et vivaient parfois jusqu'à l'âge de soixante-dix ans, les paysans de petite taille et mal nourris ne survivaient guère au-delà de trente-cinq ans.

Les conflits récurrents entre royaumes ont également favorisé la concentration de la population, qui recherchait sécurité et protection à proximité des centres, laissant inoccupées des zones tampons entre les territoires, trop exposées à des raids belliqueux. La diminution de la productivité agricole et la crise environnementale provoquée par une surexploitation des terres ont probablement exacerbé les conflits tant internes aux royaumes qu'entre royaumes voisins. Les tensions sociales n'ont pas manqué d'apparaître entre une classe paysanne dense, sous-alimentée et travaillant sans relâche sur des terres saturées, et des classes dirigeantes privilégiées, s'arrogeant les meilleures terres. La compétition pour les ressources rares, en particulier la terre, la main-d'œuvre et le pouvoir politique, devait également provoquer des guerres entre royaumes, comme le suggèrent les nombreux conflits militaires aux VIIe et VIIIe siècles, juste avant l'effondrement. L'absence d'un système politique intégré à l'échelle régionale n'a pas permis un règlement pacifique de ces conflits, souvent destructeurs et coûteux. Les guerres non seulement permettaient des conquêtes territoriales, mais elles étaient un moyen pour les rois de réaffirmer leur statut social et de justifier leurs privilèges – en cas de victoire, du moins, sans quoi ils étaient sacrifiés au cours de cérémonies organisées par les vainqueurs. Les guerres faisaient donc partie de l'idéologie de la royauté.

L'effondrement des sociétés mayas peut autant être attribué à la croissance démographique qu'à l'incapacité de ces sociétés à innover sur le plan technologique pour faire face à la pression démographique. Pourtant, de nombreuses voies de sortie face à la crise agricole étaient possibles. Certaines pistes ont été, insuffisamment, explorées, comme la conversion de l'agriculture vers des cultures plus productives et moins exigeantes en termes de fertilité du sol. Le manioc ou la patate douce, par exemple, étaient cultivés en faible proportion alors que le maïs restait la culture de prédilection. L'aménagement des terres agricoles par la construction de terrasses ou par le drainage de zones humides était occasionnel et, apparemment, peu efficace. Malgré leur grand développement intellectuel, les Mayas n'avaient guère développé de technologies avancées. La roue, les outils en métal et la traction animale leur étaient inconnus. Les Mayas étaient indiscutablement des agriculteurs compétents mais, en l'absence d'innovation technologique majeure, les stratégies d'adaptation à court terme n'étaient pas suffisantes pour résoudre leurs problèmes à long terme.

La faible efficacité de leur agriculture n'a pas permis aux paysans mayas d'extraire un surplus de production élevé. Ceci contraste fortement avec la civilisation de l'Égypte ancienne, dans laquelle, grâce à la charrue, la traction animale et l'irrigation, et grâce à l'organisation sociale élaborée que celle-ci requiert (centralisation de la distribution des droits d'accès à la terre et à l'eau), chaque agriculteur produisait jusqu'à cinq à six fois ce qui était nécessaire à la survie de sa famille. Le faible surplus agricole dans les sociétés mayas rendait la production alimentaire vulnérable aux sécheresses, aux ouragans, aux insectes nuisibles et aux conflits sociaux et politiques.

Cette vulnérabilité était exacerbée par l'absence d'animaux domestiques (hormis le dindon, le canard et le chien) qui, ailleurs dans le monde, constituaient des réserves de nourriture et une source d'engrais organiques. Par une revanche de l'histoire, les populations natives des Amériques n'avaient pas pu domestiquer des animaux car leurs ancêtres avaient, vers 11000 avant Jésus-Christ, contribué à l'extinction massive des grands mammifères par la chasse. Les espèces animales qui auraient pu être domestiquées avaient presque toutes disparu.

L'absence de système performant de transport interdisait le commerce de denrées alimentaires avec des populations voisines. En outre, les récoltes se conservaient mal d'une année à l'autre sous ce climat tropical chaud et humide. Enfin, l'essentiel du surplus agricole était sans doute extrait sous forme de taxes ou d'offrandes par l'élite politique et religieuse, pour subvenir aux besoins des familles royales, des administrateurs, des guerriers et des ouvriers qui se consacraient à l'édification des temples et des palais.

La structure complexe et le faste de la société maya suggèrent indiscutablement que certains s'étaient affranchis des contraintes liées à la survie au jour le jour. Ils ont toutefois échoué à se libérer des contraintes environnementales à long terme. Si la main-d'œuvre et les ressources consacrées à la construction des temples avaient été utilisées pour construire un système de terrasses agricoles efficaces afin de s'assurer une agriculture durable et si l'élite avait mis au point des techniques de restauration de la fertilité des sols, avant de rivaliser par des activités de prestige prodigues, la civilisation maya aurait peut-être survécu.

L'agriculture maya a souffert de l'incapacité des dynasties et des autres institutions à offrir des réponses institutionnelles appropriées face à la crise agricole et environnementale. Aucun système centralisé de gestion agricole n'a été mis en place quand les premiers signes d'érosion de sols sont apparus. La seule intervention des dirigeants mayas – en plus de prélever une partie de la production agricole sur des paysans affamés – prenait la forme d'invocations rituelles de forces supranaturelles, par des sacrifices humains, un jeu de balle symbolique et d'autres cérémonies religieuses.

Ce manque de pragmatisme a probablement entraîné un rejet de la royauté par la classe paysanne, une fois devenue évidente son incapacité à apporter des solutions et à maintenir l'ordre naturel. Affectés par une mortalité élevée, une faible espérance de vie, la malnutrition, des maladies et la baisse de la fertilité des sols, les paysans ont sans doute attribué la culpabilité de leurs maux aux rois et aux prêtres, qui s'étaient eux-mêmes attribués des pouvoirs surnaturels. La dynastie fut la première victime des tensions internes suscitées par la dégradation de l'environnement et amplifiées par les guerres.

Pour couronner cet enchaînement d'événements, le déclin de cette civilisation a coïncidé avec une longue période de sécheresses sévères, entre 800 et 1000 : la plus longue et la plus intense observée au cours des millénaires précédents, avec quelques épisodes, de trois à neuf années, particulièrement secs. Or les Mayas dépendaient de la pluie et des eaux de surface pour leur approvisionnement en eau potable. Cet épisode climatique sec aurait dû avant tout affecter les Mayas des régions plus sèches du Yucatan, au nord. Mais ce sont les villes du Sud, dans les zones plus humides de forêts tropicales, qui se sont effondrées les premières, les villes du Nord n'étant affectées par une dépopulation importante que cent ans plus tard au moins. L'explication se trouve sans doute dans le fait que les nappes phréatiques étaient moins accessibles dans les régions montagneuses karstiques du Sud : l'altitude élevée par rapport à l'eau souterraine ne permettait pas le creusement de puits et le sol karstique poreux conservait peu de réserves naturelles d'eau de surface. Ceci illustre à nouveau le fait que des civilisations sont vulnérables à la conjonction d'événements simultanés, parfois indépendants, dont l'effet additif peut être fatal, surtout lorsqu'il est imprévisible.

Une des leçons importantes de l'histoire de l'effondrement de la civilisation maya est que les réalisations architecturales, politiques et intellectuelles fascinantes de cette civilisation ont atteint des sommets quelques décennies seulement avant l'effondrement. Ces énormes pyramides, ces palais fastueux et les gravures et écrits remarquables n'étaient qu'une façade brillante qui masquait des faiblesses profondes et structurelles. Ces « vices de conception », qu'un visiteur inattentif n'aurait sans doute pas remarqués et à propos desquels les dirigeants mayas eux-mêmes n'étaient peut-être pas parfaitement lucides, furent la cause de l'effondrement rapide de cette civilisation. La fin de la civilisation maya était donc incarnée dans les marques les plus visibles de son succès apparent. L'effondrement est survenu au moment le plus improbable pour un observateur qui n'aurait prêté attention qu'à la puissance culturelle, intellectuelle et militaire de cette civilisation.

Mille ans plus tard, dans une autre partie du monde, une histoire bien différente allait se dérouler, qui allait également débuté par une croissance démographique et une déforestation de grande ampleur.

La reforestation en Europe au XIXe siècle

À l'échelle de la planète, les forêts couvraient près de la moitié des terres il y a dix mille ans, pour moins d'un tiers aujourd'hui. Dès le début du XIXe siècle, toutefois, une reforestation significative a débuté dans certains pays d'Europe, que ce soit par une régénération naturelle des forêts ou par des plantations. Un reboisement des campagnes a été observé plus tard aux États-Unis, d'abord dans la Nouvelle-Angleterre, puis dans l'ensemble du pays. Plus récemment, de vastes programmes de reforestation ont été lancés en Chine. Une telle évolution environnementale est conforme au modèle de la courbe environnementale de Kuznets. Ce phénomène qui se poursuit, et apparaît même dans certains pays en voie de développement, prouve que, sous certaines conditions, il est possible de renverser une tendance environnementale et qu'une expansion économique et démographique ne s'accompagne pas nécessairement d'une diminution du capital naturel.

La transition forestière qui a eu lieu dans plusieurs pays d'Europe au XIXe et XXe siècle peut être attribuée à un ensemble de facteurs, de nature essentiellement technologique et institutionnelle : le développement de nouvelles techniques agricoles et forestières, qui ont amélioré les rendements et permis de produire plus sur un plus petit territoire ; une diminution des besoins en bois dans l'industrie grâce à des sources d'énergie de substitution, en particulier le charbon puis le pétrole ; un ajustement progressif de l'utilisation du sol aux contraintes environnementales suite à une amélioration des moyens de transport, de telle sorte que l'agriculture et l'élevage se sont concentrés sur les terres les plus fertiles et ont abandonné les terres marginales ; la mise en œuvre de nouvelles lois qui ont promu une protection des ressources naturelles et forestières, en réponse à la perception d'une crise environnementale par le gouvernement ; l'exode rural provoqué par l'industrialisation dans les centres urbains, qui a amené à une dépopulation des régions marginales ; la pression de la société civile pour qui la qualité de la vie et de l'environnement a pris une valeur accrue ; et des événements géopolitiques, indépendants de l'exploitation des ressources naturelles, qui ont augmenté la cohésion nationale et la volonté de gérer de manière rationnelle le capital naturel d'un pays.

Alors qu'une vague de reforestation en Europe avait coïncidé, au XIVe siècle, avec un effondrement démographique causé par la peste noire, dans tous les pays d'Europe concernés, la reforestation s'est accompagnée, au XIXe siècle, d'une rapide croissance de la population.

Ces facteurs que nous venons d'évoquer ont revêtu des importances variables selon les pays et les époques, comme l'a étudié le géographe britannique Alexandre Mather. Au Danemark, l'étendue des forêts est trois fois supérieure à ce qu'elle était en 1800. Au XVIIIe siècle, le Danemark a souffert d'une crise écologique liée à la déforestation, largement perçue par la population. En 1800, seulement 4 % du couvert forestier initial subsistait (les guerres napoléoniennes ont ensuite perturbé l'importation de bois depuis le comté de

Holstein jusqu'à Copenhague). La pénurie entraîna un doublement du prix du bois entre 1780 et 1800, déclencha une réaction rapide du gouvernement et créa un climat favorable pour un changement radical dans la gestion des ressources naturelles du pays. Au début du XIXe siècle, la législation a privatisé les terres communautaires et forcé les propriétaires fonciers à planter des arbres sur les terres déboisées. Les forêts furent concédées à des propriétaires fonciers par l'Acte de préservation des forêts (1805), sous la condition qu'ils les protègent et les entretiennent. Le bétail fut exclu des forêts royales et des forêts privées. En contrepartie, les paysans qui avaient perdu l'accès aux forêts communautaires pour y faire paître leur bétail furent autorisés à défricher les zones dont le couvert forestier était peu dense.

Des modes scientifiques de gestion forestière, issus de l'époque des Lumières, furent importés d'Allemagne dès 1763 et largement diffusés par des écoles forestières et des programmes universitaires de gestion forestière. La reforestation ne devint cependant significative qu'en 1864, après l'annexion militaire par la Prusse et l'Autriche du Schleswig-Holstein, l'une des régions les plus boisées du Danemark : cette défaite politique suscita un élan patriotique qui, pour prouver l'indépendance du pays, mit en œuvre une exploitation optimale des ressources naturelles. Les landes du Jütland furent converties en terres agricoles ou en forêt par des associations locales et grâce aux subventions de l'État qui couvrit jusque 33 % des coûts de la reforestation en 1901. Les salaires gagnés par les paysans pour la plantation d'arbres, à laquelle ils se consacraient en sus de leurs cultures, furent réinvestis dans une modernisation de l'agriculture. La reforestation du pays s'accompagna donc d'une forte augmentation de la production agricole.

Avec une évolution différente, la situation fut analogue en Suisse, où le couvert forestier a quasiment doublé depuis le milieu du XIXe siècle. Dans les années 1830 et 1850, des inondations avaient causé de gros dégâts. La Société forestière suisse réussit à convaincre les autorités que ces inondations étaient, en partie au moins, imputables aux dommages subis par les forêts au cours du siècle précédent. Un rapport publié en 1862 établissait que la déforestation dans les Alpes était à l'origine du débit plus irrégulier des rivières et augmentait le risque d'avalanches et de chutes de pierres. De nouvelles inondations en 1868, qui firent cinquante victimes, semblèrent confirmer ce diagnostic.

En réponse à cette crise écologique, le gouvernement fédéral lança des programmes de reboisement et de contrôle de l'utilisation des forêts dans les zones alpines. La loi de politique forestière (1876) exigea des agriculteurs qu'ils obtiennent une autorisation avant d'abattre des arbres et qu'ils replantent soit les zones qu'ils avaient déboisées, soit une superficie équivalente à proximité. L'État intervint également en modifiant les droits traditionnels d'usage des forêts et en exigeant des agriculteurs qu'ils reboisent les sols dénudés afin de protéger les versants, même lorsque ces terres relevaient de la propriété privée.

Cette politique a été appuyée par un discours officiel sur la crise écologique causée par la déforestation, discours indispensable pour faire accepter, tant par les dirigeants locaux que par le public, ces règles de gestion forestière, dont l'adoption a été facilitée par la modernisation de l'État-nation et de l'agriculture. L'établissement de la Confédération helvétique au milieu du XIXe siècle permit la création d'un département des Forêts, d'une École polytechnique qui enseigna la gestion forestière et d'un programme de recherche qui étudia les causes des inondations. Le nouvel État moderne s'arrogea le droit d'intervenir dans la gestion des ressources naturelles.

Dans le même temps, des terres agricoles marginales furent abandonnées sur les versants des Alpes suite à la diminution de la population agricole et, dans une moindre mesure en Suisse, à l'exode rural lié à l'industrialisation. Le déplacement des activités d'élevage des alpages vers les vallées permit une régénération naturelle des forêts. L'utilisation croissante du charbon comme combustible à la place du bois, grâce notamment au développement du chemin de fer qui facilita son importation, soulagea la pression sur les forêts.

Les Ardennes belges ont connu une évolution similaire. La déforestation s'y était accélérée au cours des XVIIe et XVIIIe siècles pour satisfaire les besoins en combustible des fonderies et des tanneries locales, ainsi que ceux des industries dans les vallées de la Meuse et de la Sambre. Le progrès médical avait permis une croissance rapide de la population. Deux événements déclenchèrent une transition forestière : l'indépendance de la Belgique en 1830, accompagnée d'une volonté de prendre en main la gestion des ressources naturelles du pays, et une profonde crise agricole qui culmina avec une sévère famine en 1847-1848, occasionnée par la pénurie en bois, nécessaire à la cuisson des aliments, des maladies affectant le seigle et la pomme de terre (maladies contemporaines à la famine en Irlande), une production alimentaire insuffisante et le déclin des petites entreprises familiales qui travaillaient le lin.

Une intervention vigoureuse du nouvel État belge obligea les communes à vendre à des privés les landes et les zones de bruyères susceptibles d'être cultivées ou reboisées. Ces anciens pâturages communautaires diminuèrent donc en superficie de 90 % jusqu'en 1910. D'autres mesures visant à soutenir l'agriculture et la gestion forestière furent prises, telles que la promotion des engrais, en particulier de la chaux, la construction de routes pour desservir les campagnes, la suppression de droits sur la circulation des engrais et des céréales, la distribution de pins sylvestres aux communautés rurales, etc.

La reforestation ne démarra toutefois qu'une fois que le gouvernement supprima les mesures interventionnistes pour soutenir l'agriculture dans les régions marginales, après que la production agricole dans les régions plus fertiles eut fortement augmenté. Un changement des droits fonciers et la découverte de nouveaux gisements de charbon, qui offraient un combustible alternatif au bois, contribuèrent également à la reforestation. L'apparition du blé américain sur le marché européen et la forte demande en main-d'œuvre dans les industries textiles et sidérurgiques à la fin du XIXe siècle suscitèrent un exode rural important. Les terres abandonnées dans les Ardennes furent reboisées. Cette région s'était par ailleurs spécialisée dans l'élevage, le développement du réseau de transport lui permettant d'exporter le lait et le beurre et d'importer les produits alimentaires de base.

En France, le couvert forestier représente près du double aujourd'hui de ce qu'il était un peu avant le milieu du XIXe siècle. Les forêts françaises ont, à ce jour, regagné la superficie perdue depuis le XIVe siècle, même si leur composition et leur distribution géographique sont bien différentes. La transition forestière fut très similaire à celle décrite pour les pays voisins. La crise écologique fut essentiellement liée à une érosion, parfois catastrophique, des sols au début du XIXe siècle, en particulier en Champagne et Lorraine, dans les Causses, en Provence et dans les Alpes. Une nouvelle politique forestière fut introduite en 1827, notamment via le Code forestier.

Contrairement aux autres pays, l'intervention directe de l'État dans la gestion des forêts, autrefois communales et gérées de manière coutumière, se heurta à une opposition vigoureuse des paysans. La vision officielle qui inspirait le Code forestier – selon laquelle la dégradation des forêts devait être arrêtée, en particulier dans les zones marginales de montagne – entrait en conflit avec les besoins immédiats en combustibles et en terres agricoles des communautés rurales, là où la pression de la population était élevée (dans les Pyrénées, les Alpes et le Jura). En pratique, le Code forestier promouvait la production du bois d'œuvre aux dépens des autres produits forestiers. La bataille pour restaurer les forêts opposait également l'élite urbaine et industrielle à la population rurale, pour le contrôle social des ressources naturelles. L'État eut donc recours à des méthodes coercitives pour imposer une nouvelle forme de gestion des forêts. La résistance s'estompa peu à peu, au fil du déclin démographique dans les campagnes.

En France comme ailleurs, la transition forestière a été permise par une réorganisation géographique de la production agricole tant à l'échelle nationale que locale, avec un meilleur ajustement des activités agricoles au potentiel agro-écologique des terres. Le pâturage dans les zones de montagne fut, par endroits, abandonné au profit d'une agriculture irriguée dans les vallées. L'élevage intensif des bovins dans les prairies se substitua à l'élevage extensif des chèvres et des moutons dans des zones de végétation naturelle. L'agriculture se concentra et devint intensive dans les régions les plus fertiles, tandis qu'elle abandonnait les régions aux sols pauvres, dans lesquelles seuls les besoins de subsistance de la population locale justifiaient auparavant sa présence. Le développement des transports et de l'économie de marché permit aux habitants de ces régions marginales de se spécialiser dans certaines productions et de laisser la forêt recoloniser une partie de leurs terres.

Cette politique de gestion des forêts en France n'était pas la première, puisqu'en 1669, Colbert avait pris une Ordonnance forestière de plus de cinq cents articles. Mais celle-ci ne fut que partiellement mise en œuvre dans les régions périphériques du pays – également les plus boisées – car les conditions socio-économiques et politiques n'étaient alors pas favorables à une modification en profondeur du mode de gestion des ressources naturelles. Une intervention politique est donc une condition nécessaire mais pas suffisante pour réussir une transition forestière.

Crise puis restauration écologiques

Une dégradation de l'environnement peut donc être jugulée, voire inversée. Une restauration écologique peut aller de pair avec une expansion économique et démographique. Dans ces exemples, trois étapes majeures se dessinent à chaque fois. Dans un premier temps, la perception d'une série de crises écologiques sévères déclenche une réaction, incite les dirigeants à intervenir et prépare la population à accepter des réformes. Une certaine dramatisation autour de ces crises écologiques prépare le terrain des réformes. Dans un deuxième temps, une intervention politique modifie en profondeur les modes de gestion des ressources naturelles par un ensemble de lois. Dans un troisième temps, la mise en œuvre de ces réformes sans entraîner un coût social inacceptable est possible grâce à des innovations technologiques dans les secteurs agricoles, forestiers et des transports, et grâce à la création d'opportunités dans l'industrie. Des mutations sociales (urbanisation et abandon des régions marginales) et politiques (prise en main de la destinée du pays et développement d'institutions scientifiques de gestion des ressources) accompagnent cette modernisation. Plusieurs de ces éléments ont fait cruellement défaut dans la civilisation maya, alors qu'elle dégradait de manière croissante son environnement naturel.

Il est inquiétant d'observer dans ces exemples que les remous et les coûts sociaux et écologiques élevés qui entourent une crise environnementale semblent nécessaires (bien que pas suffisants) pour qu'une réponse adéquate de la société se mette en place. Faut-il nécessairement une crise profonde pour passer d'une trajectoire de développement destructive vers une trajectoire durable ? Le concept de « destruction créative », c'est-à-dire d'exploitation destructive de l'environnement conduisant à une crise qui sert alors de stimulus pour des innovations dans la gestion des ressources, semble s'appliquer à de nombreux problèmes environnementaux.

Le risque demeure, toutefois, qu'une crise environnementale ait des conséquences irréversibles (par exemple, une diminution de la biodiversité) ou que la réaction politique intervienne trop tard, de telle sorte qu'un coût élevé soit difficilement évitable. En effet, nombre de systèmes naturels font preuve d'une grande inertie et l'impact de certaines actions humaines passées, mêmes arrêtées, conservent des effets persistants pendant des décennies, voire des siècles.

Une leçon importante peut être tirée de l'histoire environnementale de l'Europe au XIXe siècle. Partout où une reforestation a suivi une vague de déforestation, elle a, au moins en partie, été le fait d'interventions gouvernementales vigoureuses et coordonnées à tous les niveaux. En aucun endroit au monde, la restauration des forêts n'a été spontanée.

Aux États-Unis, le président Theodore Roosevelt fut horrifié en découvrant que les forêts américaines étaient abattues à un rythme cinq fois supérieur à leur taux de régénération. Pour éviter les conséquences économiques catastrophiques d'un épuisement prévisible des ressources en bois, il créa l'US Forest Service et, par un arsenal législatif, obligea les propriétaires fonciers à protéger leurs forêts.

En Chine, les inondations catastrophiques du Yangzi Jiang, qui forcèrent des centaines de millions de paysans chinois à fuir leur village, décidèrent le gouvernement à restreindre l'exploitation des forêts et à reboiser des versants entiers de collines et montagnes, pour limiter le ruissellement des eaux de pluies (depuis que la Chine protège ses forêts, la Birmanie voisine est devenue la nouvelle proie de l'industrie du bois chinoise et connaît un taux de déforestation parmi les plus élevés au monde).

En Thaïlande et dans les Philippines, des glissements de terrain et des inondations dévastatrices, attribuées à la mise à nu des sols de montagne, ont poussé l'État, au début des années quatre-vingt-dix, à interdire certaines formes d'exploitation des forêts.

La restauration de l'environnement naturel n'a jamais été le résultat spontané de la croissance économique. Par ailleurs, rien ne dit que les terres agricoles ou pastorales gagnées aux dépens de la forêt tropicale seront, un jour, abandonnées et reboisées : après tout, les terres déboisées le long de la Méditerranée n'ont jamais retrouvé leur couvert arboré. En outre, la reforestation se fait au profit d'une forêt plus pauvre en biodiversité que celles d'autrefois, notamment dans les forêts dominées par une seule espèce de conifère : la déforestation provoque souvent des dommages irréparables pour la faune, la flore et les sols.

Treize facteurs à la bifurcation

Quel que soit le contexte historique ou l'échelle géographique d'un problème environnemental, treize facteurs influencent la trajectoire suivie lorsqu'une société s'approche d'une bifurcation entre une trajectoire de développement durable (l'Europe au XIXe siècle) et une trajectoire de dégradation écologique (les Mayas de la période classique). L'ironie veut que le chiffre treize porte malheur dans la civilisation européenne, alors qu'il était un chiffre favorable chez les Mayas.

Ces facteurs sont liés à l'information disponible sur l'état de l'environnement, à la motivation des acteurs à gérer de manière durable leurs ressources, et à la capacité de ces acteurs à mettre en œuvre une gestion rationnelle de leur environnement naturel. Ces facteurs clefs sont :

1. Les caractéristiques de l'environnement naturel : certaines régions du monde souffrent de contraintes écologiques intrinsèques – climat aride, terres érodables, sols pauvres, rareté des ressources en eau, abondance de parasites ou milieux propices à des maladies... Non seulement la productivité des ressources naturelles est faible dans ces régions, mais le capital naturel s'y régénère lentement.

2. La perception des signes avant-coureurs d'une crise écologique par les gestionnaires des ressources : lemanque d'indicateurs permettant une détection précoce des changements environnementaux et l'absence de système performant de suivi des conditions environnementales rendent une crise écologique en préparation invisible. Cette perception est plus difficile pour des écosystèmes complexes, pour des ressources ayant un comportement migratoire (les baleines, par exemple) mais aussi lorsqu'une variabilité interannuelle des conditions environnementales – c'est le cas pour le climat dans certaines régions du monde – vient masquer une dégradation.

3. Le transfert de l'information sur l'environnement vers les preneurs de décision : la transmission de l'information sur des indicateurs environnementaux qui s'approcheraient du « rouge » doit être rapide et efficace. Avec le développement des sociétés urbaines complexes, une distance croissante s'installe entre les agents en contact avec les ressources naturelles et les preneurs

de décision. L'information sur les signes précoces d'épuisement d'une ressource ou de perturbation d'un écosystème arrive parfois aux décisionnaires après un long délai. Durant son transfert, elle peut en outre être altérée, simplifiée ou dénaturée, par manque de connaissances ou par la volonté d'intermédiaires qui n'ont pas intérêt à ce que l'État intervienne dans la gestion des ressources locales.

4. Le diagnostic sur les causes du problème environnemental : une fois le problème environnemental reconnu, le diagnostic sur ses causes – donc sur la solution à apporter – doit être correct, ce qui implique souvent de combattre les idées reçues. Les Mayas voyaient probablement que leurs terres s'appauvrissaient, mais ils attribuaient, semble-t-il, le problème à des causes religieuses et cherchaient la solution dans des sacrifices et des offrandes aux forces surnaturelles. De manière moins caricaturale, le diagnostic sur des processus naturels complexes peut être difficile ou incertain.

5. La volonté des preneurs de décisions d'intervenir : une dégradation environnementale peut être correctement mesurée et diagnostiquée, mais les preneurs de décision peuvent nier l'importance du problème, voire nier le problème lui-même. C'est le cas lorsque l'élite dirigeante défend des intérêts à court terme qui divergent de ceux de la population affectée par la dégradation environnementale : la protection des intérêts de l'industrie pétrolière américaine est sans doute à l'origine du refus du président George W. Bush de mettre en œuvre des politiques nationales et internationales pour réduire les changements climatiques induits par l'activité humaine.

6. La capacité d'innovation technologique : la réponse à une crise environnementale nécessite souvent des solutions technologiques. Les Mayas ne maîtrisaient guère des technologies avancées. En Europe, en revanche, l'intensification de l'agriculture dans les régions les plus fertiles, la création d'emplois dans l'industrie et le développement d'un système de transport ont contribué au succès des politiques de reforestation.

7. La diffusion d'innovations venant de l'extérieur : les innovations ne sont pas nécessairement toutes conçues localement. L'emprunt d'idées et de solutions à des sociétés voisines est une pratique courante. Ainsi, la domestication des plantes pour l'agriculture a eu lieu dans cinq régions du monde et s'est ensuite diffusée à l'ensemble de la planète. La rapidité de la diffusion de nouvelles idées sur la manière de diminuer l'impact humain sur l'environnement dépend des réseaux de communication et de la fréquence des contacts entre des populations ayant un niveau technologique différent.

8. Le pouvoir et la flexibilité des institutions : l'innovation technologique n'offre souvent qu'une partie de la solution, et doit se prolonger par de nouvelles politiques et une réforme des règles de gestion des ressources. Mettre en œuvre ces nouvelles politiques nécessite un État capable d'innover rapidement et d'imposer de nouvelles règles sur tout le territoire.

9. L'existence d'un surplus de production : innover implique une capacité d'investissement dans la recherche et le développement, une possibilité de couvrir les risques inhérents à toute innovation. Ceci requiert un surplus de production disponible, donc un système de production performant.

10. L'intégration politique et économique d'un territoire aux ressources diverses : une unité politique sur un large territoire offre à la fois la sécurité nécessaire à l'innovation et l'accès à une diversité de ressources, d'écosystèmes et de capital social et humain. En France, au XIXe siècle, la spécialisation régionale a été un facteur essentiel à la base de la reforestation. En revanche, les guerres incessantes entre les royaumes mayas ont dispersé les ressources et réduit la capacité des Mayas à se concentrer sur la recherche de solutions à leurs problèmes environnementaux.

11. La rapidité du changement environnemental : pour qu'une société ajuste son organisation socio-économique, le changement environnemental doit être lent et progressif. Concevoir et mettre en œuvre des innovations technologiques et institutionnelles demandent du temps. Les grandes innovations technologiques dans la civilisation occidentale contemporaine se sont succédé à un rythme de plusieurs décennies. Cette lenteur dans l'adoption de nouvelles technologies est une contrainte importante, à l'avenir, pour la diffusion des nouvelles techniques de production énergétique, notamment, que ce soit dans le domaine des transports (voitures à l'hydrogène) ou de la production d'énergie domestique (éoliennes, énergie solaire). Les sociétés sont plus vulnérables face à des changements environnementaux qui exigent une réponse rapide que face à des changements progressifs.

12. La stabilité pendant la période de transition : lorsque des événements catastrophiques indépendants de la dégradation environnementale se produisent pendant la période de transition vers un autre mode de développement – catastrophes naturelles comme

une sécheresse prolongée, événements politiques comme des conflits sociaux ou une guerre –, la combinaison fortuite entre un lent processus de modification de l'environnement et une perturbation rapide peut entraîner la société dans un cercle vicieux de dégradation écologique et de déclin socio-économique.

13. L'existence de grandes personnalités : pour tous les pays d'Europe qui ont réussi leur transition forestière, des personnages influents et charismatiques ont joué un rôle crucial dans la conception, la promotion et la mise en œuvre de nouvelles méthodes de gestion des forêts.

Pour réussir une transition vers un développement durable, ces treize conditions doivent être satisfaites : ce fut le cas pour la mise en œuvre du protocole de Montréal, signé en 1987, qui a permis d'enrayer la destruction de la couche d'ozone.

Il suffit qu'une seule de ces conditions ne soit pas remplie pour bloquer l'inversion d'une tendance à la dégradation environnementale et faire échouer la transition vers un nouveau mode de développement. Or parmi ces facteurs, certains sont plus contrôlables que d'autres. Réussir une transition vers une restauration écologique et un développement durable n'est donc pas l'affaire de quelques acteurs privilégiés, mais bien celui de toute la société.

Chapitre 6

La nature des changements environnementaux

« Le désert n'ayant pas donné de concurrent au sable, grande est la paix du désert. » Henri Michaux

Une ancienne fable indienne raconte que six hommes, tous aveugles, rencontrèrent un jour un éléphant. Le premier toucha les flancs de l'animal : « Il s'agit d'un mur », déclara-t-il. Le deuxième saisit sa trompe et conclut que l'éléphant était un serpent géant. Le troisième sentit la pointe de la défense : « Cette créature est aussi dangereuse qu'un sabre », dit-il. Le quatrième homme, après avoir enlacé une des pattes de l'animal, pensa avoir affaire à un arbre. Le cinquième, sentant l'énorme oreille du pachyderme, déclara qu'il s'agissait d'un éventail, peut-être d'un tapis volant. Le sixième, après avoir attrapé la queue de l'animal, fut convaincu qu'un éléphant n'était rien d'autre qu'une vielle corde. Ils commencèrent alors à se quereller sur la nature de cet animal étrange. Réveillé par leurs cris, un rajah arriva et leur dit : « Comment pouvez-vous chacun être certain d'avoir raison ? L'éléphant est un grand animal et vous n'avez chacun touché qu'une partie de son corps. Si vous mettez les parties ensemble, vous verrez peut-être la vérité. »

Plusieurs leçons peuvent être tirées de cette fable : l'homme appréhende mal les réalités complexes qu'il ne peut pas observer directement ; il en tire néanmoins des conclusions, parfois erronées. Plusieurs points de vue sont donc nécessaires pour approcher la vérité.

Malgré le cumul d'observations, obtenues grâce à des instruments de plus en plus sophistiqués, de nombreuses incertitudes subsistent sur l'ampleur de certains changements environnementaux. Il est parfois difficile de déterminer si des changements observés sur une courte période reflètent le début d'une tendance causée par l'activité humaine ou font partie d'un cycle naturel qui introduit une certaine variabilité dans les conditions environnementales. Ces incertitudes servent parfois de prétexte pour ne pas mettre en œuvre des interventions coûteuses de lutte contre une dégradation environnementale présumée.

Quand le désert avance…

La désertification au Sahel africain offre un exemple édifiant de la difficulté à identifier une tendance environnementale au sein de la variabilité naturelle des écosystèmes. Elle montre aussi, de manière dramatique, comment une compréhension inadéquate d'un problème environnemental présumé amène parfois des interventions qui deviennent ensuite une cause du problème. Elle montre enfin qu'un diagnostic sur un changement environnemental doit intégrer des mesures physiques, biologiques et chimiques relatives au changement du système naturel, mais aussi une évaluation de la capacité des sociétés humaines à faire face à ce changement.

Le désert du Sahara est riche en traces archéologiques qui attestent de l'occupation humaine de cette région aujourd'hui désertique. Les fresques du Tassili N'Ajjer en Algérie prouvent notamment qu'une faune typique des savanes occupait le Sahara il y a quelques milliers d'années. Les rives d'anciens lacs d'eau douce, aujourd'hui asséchés, sont parsemées de poteries ou autres artefacts. Il y a 9 000 à 5 500 années, le Sahara était vert. Cet épisode humide a été suivi d'un épisode plus sec qui persiste. Ces variations climatiques font partie d'un cycle maintes fois répété, à l'échelle de la dizaine de milliers d'années. Elles ont une cause astronomique naturelle et ne relèvent pas de la désertification causée par l'homme.

Après une période exceptionnellement humide dans les années cinquante et soixante, le Sahel africain – zone de transition entre le désert et la savane, à la bordure sud du Sahara – connaît, depuis une trentaine d'années (de 1970 à 1974, et 1976 à 1993), une série de sécheresses sévères. Une caractéristique intrinsèque du climat semi-aride est sa forte variabilité d'une année à l'autre (avec, certaines années, une pluviométrie représentant 40 % de la pluviométrie moyenne) et d'une zone à l'autre.

La désertification dont il est question ici est une dégradation, sur plusieurs décennies, des terres dans les zones arides et semi-arides qui résulte de l'interaction entre l'activité humaine et la variabilité climatique. La dégradation des terres consiste en une diminution ou une perte durable de productivité biologique ou économique causée par une utilisation inappropriée des terres pour l'agriculture, le pastoralisme ou la foresterie. Elle est associée à des processus d'érosion des sols par le vent ou l'eau, de détérioration des propriétés physiques, chimiques, biologiques ou économiques des sols, et de perte du couvert végétal sur le long terme.

La pluviométrie annuelle du Sahel va de 100 millimètres d'eau par an dans les steppes au sud du Sahara à 750 millimètres dans les savanes arbustives ou arborées, plus au sud. Ces pluies se concentrent sur deux à quatre mois par an. Le mode de vie traditionnel repose sur la coexistence entre un pastoralisme transhumant et une agriculture céréalière fondée sur le mil et le sorgho, bien adaptés au risque de sécheresse, et sur le riz le long du fleuve Niger. On retrouve toute une gradation entre les modes de vie du pasteur nomade et du cultivateur sédentaire, avec des degrés divers de mobilité et d'intégration entre l'élevage et la culture céréalière. Les systèmes socio-économiques du Sahel ont développé au fil du temps une forte résilience face aux extrêmes climatiques, même si chaque sécheresse apporte son lot de destruction et de souffrance.

Réalité scientifique ou mythe ?

En 1907, une mission forestière du service de l'agriculture de l'administration coloniale du Haut-Sénégal-Niger concluait que le Sahara progressait vers le sud du fait de l'action de l'homme, conclusion reprise ensuite dans de nombreux rapports coloniaux et comptes rendus de voyage. En 1935, un professeur en foresterie à Édimbourg, fit une communication à la Royal Geographical Society sur son récent voyage en Afrique de l'Ouest, au cours de laquelle il confirma que le Sahara avançait vers le sud, phénomène qu'il attribuait à des pratiques agricoles destructives et à la croissance démographique.

Certains agents de terrain exprimaient leur scepticisme quant à une avancée du désert, en particulier lorsque les observations avaient été faites pendant la saison sèche : durant cette période, les déplacements des voyageurs et des experts étaient plus aisés, mais le paysage apparaissait dévasté à celui qui n'a jamais observé l'explosion de verdure qui suit les premières pluies. Vinrent ensuite deux décennies pendant lesquelles la pluviométrie fut exceptionnelle (1950 à 1967), et l'on oublia la question de la désertification.

Elle revint en force lors des grandes sécheresses des années soixante-dix et quatre-vingt. En 1975, un écologue britannique, Hugh Lamprey, survola le Soudan, à la demande des Nations unies, afin d'estimer l'avancée du désert. Il compara le paysage de 1975 – année qui suivait une sévère sécheresse – aux couverts végétaux représentés sur une carte de la végétation du Soudan établie en 1958 – au cœur d'une période exceptionnellement humide. Sur cette base, il conclut que le Sahara avait avancé de 90 à 100 kilomètres vers le sud, soit à une moyenne de 5,5 kilomètres par an. Ce chiffre fut repris par les gouvernements, les agences internationales d'aide au développement et les médias, atterrit même dans les manuels scolaires et se transforma en 9 kilomètres par an par la voix de George Bush père, alors vice-président des États-Unis, le 14 mars 1986, puis en 350 kilomètres en vingt ans (17,5 kilomètres par an) par celle du président de la Banque mondiale en 1989.

Pourtant, cette statistique se fondait sur l'étude d'une partie du Soudan – non sur celle du Sahel dans son ensemble –, sur des observations relatives à deux années – caractérisées par des conditions climatiques exceptionnelles – et sur la comparaison, forcément imprécises, entre une carte grossière et des observations aériennes.

Jusqu'au début des années quatre-vingt-dix, peu de statistiques alternatives furent proposées (des questionnaires aux pays concernés, la compilation d'avis de 250 experts en un *Atlas de la désertification*), généralement dépourvues de la rigueur requise pour un tel diagnostic. En 1988, un rapport de la Banque mondiale concluait que la désertification avait été largement exagérée, qu'il existait peu de preuves que les régions semi-arides étaient affectées par la désertification et que peu de technologies permettaient de combattre le problème – ce qui revenait à admettre tout de même que problème il y avait.

Le thème de la désertification connut cependant un parcours institutionnel sur le plan international, qui débuta avec la création du Programme environnemental des Nations unies (UNEP) : la lutte contre la désertification était l'un de ses mandats principaux. Vint ensuite la Conférence des Nations unies sur la désertification à Nairobi en 1977, suivie d'un chapitre de l'Agenda 21 lors du Sommet de la Terre à Rio de Janeiro en 1992 et, finalement, une Convention des Nations unies pour combattre la désertification, mise en œuvre depuis décembre 1996. Ce processus institutionnel n'allait pas sans reposer sur des statistiques douteuses : 35 % de la planète étaient menacés par la désertification et un milliard d'habitants risquaient d'en subir les effets !

Il ne fait aucun doute aujourd'hui que la désertification a gagné son statut international plus à cause des drames humanitaires causés par les sécheresses des années soixante-dix, en Afrique, que grâce à une réelle avancée du désert, établie par des mesures précises.

En 1991, des chercheurs de la NASA provoquèrent un choc en publiant dans la revue *Science* les résultats d'une analyse fondée sur les données de satellites d'observation de la Terre : ils établissaient que la frontière sud du Sahara « monte » et « descend » d'une année sur l'autre, au gré des fluctuations erratiques de la pluviométrie, sans la moindre tendance continue. L'amplitude maximale de ces fluctuations est de 240 kilomètres, en latitude, sur une décennie. Les zones impactées par la sécheresse redeviennent productives dès que les pluies retrouvent leur niveau normal, prouvant ainsi la résilience écologique des zones semi-arides face à la sécheresse.

Puis on décela qu'une part de l'expansion du Sahara ne pouvait pas s'expliquer par les variations des pluies (était-ce dû à l'impact cumulé d'une série de sécheresses qui érodaient la résilience de la végétation ou devait-on y voir la trace de l'impact humain ?), mais avant qu'une réponse soit trouvée, cette tendance disparut au cours de la décennie suivante et, à la fin des années quatre-vingt-dix, les données des satellites d'observation montraient même que la végétation s'était légèrement améliorée à l'échelle du Sahel.

Mais les satellites utilisés dans ces études à l'échelle régionale ont l'inconvénient de recueillir des données sur des unités spatiales d'un à huit kilomètres et de ne pas distinguer tous les détails du couvert végétal et du sol : ils ne détectent pas certaines formes de dégradation de la végétation et d'érosion du sol par le vent et par la pluie, à la base de la désertification. Il a donc été nécessaire de reconstruire l'évolution passée de la végétation au Sahel à partir de données plus précises.

Un chercheur a analysé des images d'archives du Soudan vu du ciel, réalisées entre 1943 et 1994, soit depuis des avions, soit depuis des satellites espions américains à partir des années soixante. Ces données permettaient de compter les arbres et d'étudier leur évolution sur les cinquante dernières années. Cette étude n'a révélé aucune diminution du couvert végétal, même pour les sites étudiés par Lamprey.

Un autre chercheur a parcouru à pied plus de 1 900 kilomètres dans la partie sahélienne du Sénégal, visitant 135 villages au cours d'une année. Dans chaque village, il a inventorié les arbres et interviewé deux personnes de plus de soixante-cinq ans ayant résidé de manière permanente dans le village. Il a puisé dans leur mémoire pour reconstruire le couvert arboré au moment de la grande sécheresse de 1942 à 1949, qui a forcément marqué leur mémoire. Les résultats montraient que la densité et la diversité des arbres avaient diminué de manière significative dans cette région du Sénégal. Ce chercheur a attribué cette « désertification » plus à un assèchement du climat qu'à l'activité humaine. Dans cette zone, les espèces végétales typiques des savanes ont reculé vers le sud à un rythme moyen de 500 à 600 mètres par an – dix fois moins vite, donc, que la vitesse donnée par Lamprey.

D'anciennes photographies aériennes des années cinquante, réalisées notamment par l'IGN (Institut géographique national), ont permis de reconstruire le couvert végétal passé dans plusieurs régions du Sahel. La comparaison de ces archives avec la situation actuelle a conduit à des conclusions divergentes. Alors que certaines régions ont connu un net recul de la végétation naturelle, d'autres, voisines, ont vu un recrû de la végétation là où, autrefois, la sécheresse avait causé une désertification. Dans des zones dénudées au cœur de la grande sécheresse des années soixante-dix, des dunes auparavant stabilisées par la végétation se sont mises en mouvement avant d'être, aujourd'hui, recolonisées par la végétation.

Plus étonnant encore, les rendements agricoles au Burkina Faso ont augmenté de manière continue depuis 1960, notamment en ce qui concerne des céréales comme le mil et le sorgho, cultivés sur des champs non irrigués, avec peu ou pas d'engrais chimiques. La productivité des sols n'aurait donc pas diminué partout au Sahel, même si, localement, une érosion du sol a eu lieu de manière naturelle ou suite à une activité humaine. En conclusion, aucune trace de l'avancée du désert n'a été trouvée à l'échelle du Sahel, mais des signes prouvent, par endroits, une dégradation locale en d'autres, une amélioration de la situation environnementale.

Le nomadisme pastoral, facteur de résilience

L'apparente contradiction entre ces observations se comprend mieux si l'on considère la diversité géographique et sociale de la région, la dynamique complexe des écosystèmes semi-arides et la co-évolution sur quelques millénaires de ces écosystèmes avec les sociétés humaines qui les utilisent. Tant les sociétés humaines qui occupent le Sahel que les interactions entre ces sociétés et leur environnement présentent une grande diversité géographique, qui tient à la fois aux conditions naturelles et démographiques, au degré d'intégration des économies locales dans les circuits du commerce régional et mondial, à l'influence variable des politiques nationales de développement et aux stratégies paysannes locales de production agricole.

Par ailleurs, un nouveau modèle en écologie explique la résilience du Sahel face aux sécheresses et sa faible sensibilité aux formes traditionnelles d'occupation humaine. Ce modèle décrit les écosystèmes semi-arides comme étant en permanence loin de l'équilibre c'est-à-dire non stable, même en l'absence de tout impact humain. Le couvert végétal évolue constamment en réponse à des sécheresses aléatoires. Par analogie, une balle circulant sur un plan incliné est toujours attirée par le point le plus bas, qui correspond à une position stable ; si le plan incliné change constamment de position avant que la balle n'ait eu le temps d'atteindre les points les plus bas successifs, celle-ci reste en permanence loin d'un point d'équilibre. La végétation des milieux arides et semi-arides est ainsi constamment perturbée par les variations erratiques de la pluviométrie.

Les herbivores (sauvages ou domestiques) et les feux de brousse contrôlés font partie de l'écologie du Sahel depuis près de quatre millénaires. Les écosystèmes sahéliens sont donc adaptés à une influence humaine, dans les limites des modes d'utilisation des ressources naturelles avec lesquelles ils ont co-évolué. Les pasteurs sahéliens sont traditionnellement mobiles et font preuve de flexibilité et d'opportunisme dans leur utilisation des pâturages, suivant les pluies par leur transhumance. Les écosystèmes sahéliens ont donc incorporé des mécanismes de résilience face à ce type d'utilisation opportuniste des pâturages, en particulier grâce à la diversité des espèces végétales de ces pâturages.

On a même remarqué qu'une densité raisonnable d'herbivores maintient, voire augmente la productivité des pâturages semi-arides : un nombre modéré d'animaux qui broutent réduit la surface végétale par laquelle l'herbe perd de l'eau par transpiration, augmente donc indirectement l'humidité du sol et le potentiel de croissance de la plante, stimule la production végétale et opère une sélection des espèces les plus utiles pour le bétail ; les herbes deviennent plus productives, plus durables et acquièrent une plus grande valeur nutritive que celles des zones jamais pâturées.

Dans une région soumise à des sécheresses fréquentes et à un système de gestion pastoral fondé sur la mobilité des troupeaux, une population d'herbivores n'atteint jamais une taille suffisante pour dégrader le pâturage, car les sécheresses périodiques limitent la population. Les activités pastorales traditionnelles au Sahel ne sont donc pas une cause de désertification : ce sont principalement les variations climatiques et les sécheresses qui provoquent des changements temporaires et réversibles dans l'état des écosystèmes sahéliens, ce qui correspond aux observations par satellite faites pour l'ensemble du Sahel.

Une combinaison inhabituelle de perturbations climatiques et humaines simultanées, se renforçant mutuellement, a cependant le pouvoir de dégrader les écosystèmes semi-arides. Pour reprendre l'analogie précédente, certains mouvements brusques du plan incliné poussent la balle en dehors du plan incliné et la font tomber sur le sol.

Une telle trajectoire de désertification a été empruntée par quelques régions du monde, à certains moments de leur histoire. Ce fut le cas dans la péninsule ibérique, au XVIe et XVIIe siècle, lors d'un changement politique, culturel et économique simultané avec le « petit âge glaciaire », événement climatique associé à des hivers plus rigoureux au nord de l'Europe et plus humides au sud. L'introduction au sud-est de l'Espagne de céréales et de moutons par les populations chrétiennes de l'intérieur du pays a dénudé le sol qui s'est rapidement érodé sous l'effet des pluies violentes associées à ces nouvelles conditions climatiques. La conversion des forêts des Pyrénées en pâturages et l'extraction du bois pour la construction navale eurent le même effet sur l'érosion des sols de montagne.

Au début du XXe siècle, dans les grandes plaines américaines du Sud-Ouest, la culture de céréales se concentrait sur les meilleurs sols. La Première Guerre mondiale provoqua un effondrement des stocks de céréales en Europe, donc une augmentation des prix ; en réponse à cette opportunité économique, les superficies consacrées aux céréales doublèrent dans les grandes plaines américaines entre 1910 et 1920, aux dépens des zones de pâturage.

Au début des années trente, une longue sécheresse frappa la région, dénudant le sol fragilisé par les profonds labourages et les vents violents. Des tempêtes soulevèrent d'énormes nuages de poussière, donnant lieu au fameux *dust bowl*. En 1933, le nuage de poussière assombrit le ciel plus de 139 jours durant, causant une baisse de l'ensoleillement, donc des températures. En mai 1934, ce nuage de poussière atteignit New York et Washington, 2 400 kilomètres plus loin et, un dimanche d'avril 1935, surnommé le « dimanche noir », les habitants qui profitaient du temps printanier virent arriver une gigantesque masse noire, progressant à 100 kilomètres par heure, précédée d'un nuage d'oiseaux en fuite. Des millions d'hectares de cultures furent ensevelis par les huit à dix centimètres de sol arrachés par le vent aux zones agricoles voisines.

Dans certaines parties du Sahel africain, les pluies exceptionnelles des années cinquante et soixante incitèrent la petite agriculture paysanne, encouragée par des politiques nationales, à s'étendre, tandis que les pasteurs étaient repoussés vers le désert, dont les pâturages avaient temporairement reverdi. La sécheresse des années soixante-dix piégea dans ces zones désertiques les pasteurs, dont les parcours traditionnels plus au sud étaient maintenant occupés de manière permanente par des agriculteurs, et entraîna une catastrophe humanitaire au Sahel ainsi que des conflits entre pasteurs et éleveurs.

Dans ces exemples, soit les changements climatiques et socio-économiques se sont produits de manière synchrone et indépendante, soit un changement socio-économique a vulnérabilisé la société face à la variabilité climatique, soit un épisode climatique favorable a poussé la société à s'engager dans une activité non durable. La plupart des cas de désertification dans le monde et dans l'histoire de l'humanité résultent de la combinaison de facteurs climatiques et humains exceptionnels, qui se sont mutuellement renforcés.

Seule une combinaison hors du commun de ces facteurs a le pouvoir de pousser les écosystèmes semi-arides au-delà de leur seuil de résilience. Les observations par satellite révèlent que, pour les dernières décennies, ces situations restent locales, au Sahel, même si l'ensemble de la région a été frappé par un déficit pluviométrique important.

Quand les hommes extérieurs à la région s'en mêlent…

La perception qu'acquièrent les décideurs de l'ampleur et des causes de la désertification influence leur politique. Malgré l'accumulation de données scientifiques sur la nécessité de maintenir la mobilité des troupeaux et de gérer les pâturages semi-arides de manière opportuniste, en fonction des fluctuations pluviométriques, les dirigeants nationaux et les agences internationales ont mis en œuvre pendant plus de trois décennies une gestion inadaptée de ces pâturages qui, au lieu de lutter contre une désertification présumée, a entraîné une réelle dégradation de l'environnement.

Ces interventions se fondaient sur des modèles de gestion pastorale inadaptés à la dynamique complexe des écosystèmes semi-arides, car inspirés de la gestion de grands ranchs en Amérique du Nord, où les conditions climatiques sont plus stables qu'au Sahel. C'est comme si un patient souffrant d'une maladie tropicale bénigne était examiné par un médecin de contrées nordiques, peu familier de ce type d'affection. Croyant reconnaître les symptômes d'une maladie connue, il s'empresserait de la soigner par un traitement de choc, au risque d'entraîner un problème de santé plus sérieux que l'affection initiale.

Il y a quelques décennies, quand le mythe de l'avancée du désert prévalait, certains ont accusé les systèmes pastoraux traditionnels, fondés sur la mobilité, de dégrader les pâturages semi-arides et ont prôné une gestion moderne de ces pâturages, avec le contrôle des pasteurs semi-nomades, notamment leur sédentarisation autour de points d'eau permanents et leur exclusion de certaines zones.

Autour des points d'eau, la concentration et la présence permanente du bétail ont entraîné un surpâturage. Plus loin, les agriculteurs ont été incités à mettre en culture les pâturages les plus productifs et des couloirs pastoraux traditionnels, restreignant encore davantage la mobilité des pasteurs. Lorsqu'une agriculture irriguée a été promue le long de fleuves, les troupeaux ont perdu l'accès à l'eau. En certains endroits, on a même tenté de planter une « barrière verte » constituée d'arbres pour arrêter la progression du désert – un peu comme des gendarmes placent un barrage routier pour bloquer des voleurs en fuite – mais dont l'effet aurait également été de diminuer la mobilité des éleveurs.

Les résultats n'ont été bénéfiques pour personne. Le bétail s'est concentré sur un espace exigu et dans les régions où le risque de sécheresse était plus élevé. Les anciens pâturages dont les pasteurs étaient exclus se sont appauvris sous l'effet d'une modification profonde du couvert végétal. Enfin, les tensions entre agriculteurs et éleveurs se sont exacerbées au point d'engendrer des insurrections dans certaines régions.

L'intervention de l'État dans les systèmes traditionnels de pâturage a affaibli les sociétés et les économies locales et stimulé l'exode rural. Les institutions traditionnelles de régulation de l'accès aux pâturages et aux points d'eau sont devenues inopérantes, et des terroirs contrôlés par des régimes institutionnels traditionnels sont devenus des zones de libre accès, y compris pour des investisseurs bénéficiant de relations privilégiées.

Ces actions politiques ont été également motivées par le fait que le nomadisme pastoral n'est pas compatible avec le modèle de société moderne, ni avec les objectifs de scolarisation et d'accès aux services sanitaires, encore moins avec les prérogatives étatiques comme le contrôle des frontières et la perception des taxes. Les Touaregs, qui se déplacent entre le Mali, le

Niger et l'Algérie, et les Toubous, qui circulent entre le Tchad et la Libye, ont donc été systématiquement marginalisés.

S'arrêter aux changements physiques n'offre qu'une vision partielle de la désertification. La désertification n'affecte pas la végétation et le sol, mais le système formé par la société humaine et son environnement dans son ensemble. La dégradation environnementale et la capacité des sociétés locales à substituer et réhabiliter les ressources naturelles dégradées sont les deux faces d'une même pièce.

Une sécheresse aura un impact différent sur des villages voisins selon les stocks de céréales disponibles, le réseau familial et d'entraide, les opportunités d'emplois en dehors du secteur agricole, les programmes locaux d'aide alimentaire ou de développement de l'irrigation… Les sociétés pastorales traditionnelles ont toujours investi une part significative de leurs ressources dans leur « capital social », c'est-à-dire dans les alliances avec d'autres groupes, de manière à se garantir un accès à des pâturages éloignés, à s'entraider en cas de sécheresse, à assurer leur sécurité le long de corridors migratoires et à établir des règles (formelles ou informelles) d'usage des pâturages et des points d'eau.

Quand les mécanismes traditionnels de résilience socio-économique aux fluctuations climatiques sont remplacés par des mécanismes économiques faisant appel à des ressources extérieures à la région, de nouveaux risques environnementaux et socio-économiques surgissent. C'est le cas lorsque la mobilité des pasteurs est remplacée par l'apport de fourrage depuis les régions voisines, pour alimenter en saison sèche un bétail sédentarisé. Le mécanisme de régulation de la taille des troupeaux par la faible productivité des pâturages pendant les périodes sèches est supprimé et les troupeaux s'accroissent rapidement. Ce phénomène a provoqué une forte dégradation des terres en Asie centrale, sous le régime soviétique, et en Chine. Et lorsque l'approvisionnement en fourrage est interrompu, le système pastoral s'effondre, avec un coût économique et social considérable : ce qui s'est produit récemment au Kazakhstan, lorsque la dislocation de l'Union soviétique a fait disparaître les subsides publics pour l'alimentation animale.

On peut y voir une parabole pour les modifications récentes à l'échelle planétaire : lorsque des ressources et processus artificiels (le système industriel de production d'énergie à partir des hydrocarbures) permettent en partie à une société de s'affranchir des contraintes liées aux ressources et processus naturels (l'approvisionnement en bois comme combustible), cette société a tendance à croître rapidement et à surexploiter les autres ressources naturelles dont elle reste malgré tout dépendante (l'eau, la biodiversité). La croissance de l'économie s'accélère sans que l'approvisionnement en biens et services naturels indispensables pour la société puisse nécessairement répondre à l'expansion des besoins. Cette société devient de plus en plus dépendante des ressources et processus artificiels qu'elle a introduits, et augmente ainsi sa vulnérabilité face à des perturbations non anticipées qui affecteraient son approvisionnement dans ces ressources artificielles (troubles politiques dans les régions du monde qui détiennent l'essentiel des stocks de pétrole) ou qui résulteraient de leur utilisation (changement climatique causé par la combustion des énergies fossiles). Or un système artificiel possède rarement le degré de diversité et de résilience face à des circonstances exceptionnelles qu'ont les systèmes naturels.

Chapitre 7

Les solutions

« Un pessimiste voit la difficulté dans chaque opportunité ;
un optimiste voit l'opportunité dans chaque difficulté. »
Winston Churchill

L'environnement naturel change rapidement à l'échelle mondiale sous l'effet de l'activité humaine. Ces changements menacent l'objectif social qui consiste à augmenter la qualité de la vie pour tous et à long terme. En effet, maintenir durablement l'habitabilité de la planète est un préalable à la réalisation de cet objectif.

Le risque qu'une crise environnementale affecte les sociétés humaines à l'échelle mondiale est plus élevé que jamais. En chinois, le mot « crise », *weiji*, est construit à partir de deux caractères, le premier signifiant danger et le second opportunité. Les décennies à venir seront riches en opportunités technologiques, institutionnelles et culturelles pour remettre l'humanité sur une trajectoire de développement durable.

La ressource inépuisable qui a créé le plus grand nombre d'opportunités déterminantes au long de l'histoire de l'humanité est le cerveau humain. L'inventivité de l'homme appliquée à la gestion et au développement des ressources naturelles est l'atout le plus précieux pour lui permettre de faire face aux multiples défis environnementaux contemporains.

La créativité humaine donne toutes les raisons d'être optimiste, à condition qu'elle serve de bons objectifs et se double d'un sens élevé de l'anticipation.

Pour réfléchir aux réponses à apporter à la dégradation de l'environnement terrestre, une méthode simple consiste à passer en revue les causes de cette dégradation, dans l'idée qu'une suppression de ces causes résoudra le problème. Dans certains cas, une réorientation ou modification des facteurs à l'origine d'une dégradation environnementale permettra d'éviter une crise. Une autre approche consiste à reconnaître que certaines causes font partie d'un processus inévitable de développement humain et que les changements environnementaux participent d'une co-évolution entre l'humanité et la nature. Dans ce cas, la solution consiste plutôt à renforcer les processus d'adaptation mutuelle entre les activités humaines et les écosystèmes, afin de promouvoir un fonctionnement plus harmonieux du système terrestre, y compris l'humanité qui l'occupe. Le degré de sophistication des solutions proposées dépend donc largement du degré de précision de l'analyse des causes des changements environnementaux. Différentes solutions peuvent également être mises en œuvre à plusieurs échelles de temps : alors que certaines solutions peuvent avoir des effets immédiats, d'autres demandent un travail patient qui ne portera ses fruits qu'après plusieurs décennies.

Différentes écoles de pensée

Les modèles généraux qui décrivent les causes des changements environnementaux suggèrent des stratégies simples pour contrôler ces changements. Différentes écoles de pensée prônent, parfois de manière très militante, une solution unique, ignorant souvent que chaque problème environnemental est différent, et que chaque situation historique et géographique particulière réclame une combinaison spécifique d'approches.

L'école « moins de bouches à nourrir » prône un contrôle de la croissance démographique, en particulier dans les pays pauvres où elle est la plus élevée. L'objectif est de diminuer la pression de la population sur les ressources naturelles. Le raisonnement est simple : s'il y a moins d'habitants, un plus petit nombre de personnes consommera les ressources environnementales, voudra conduire une voiture, etc. Cette école invoque la capacité de charge limitée de la planète. Plusieurs solutions sont envisagées : la promotion des méthodes contraceptives modernes ; le développement économique (la prospérité étant un contraceptif efficace) ; l'augmentation du taux de survie des nourrissons et des enfants, pour éviter que des familles pauvres compensent la mortalité infantile par une forte natalité ; l'amélioration du statut des femmes, afin qu'elles acquièrent le contrôle de leur fécondité ; et l'éducation tant des femmes que des hommes. Il n'y a pas de « meilleure » formule, car tout dépend du contexte culturel et social propre à chaque pays.

Le débat sur la croissance démographique est fortement influencé par les croyances religieuses et par la suspicion que les pays riches souhaitent contrôler la population des pays pauvres afin de préserver leurs privilèges et leur niveau de consommation. Pourtant, le taux de croissance de la population mondiale diminue plus rapidement que ce que les experts prévoyaient il y a dix ans et il est probable qu'avant la fin de ce siècle (sans doute autour de 2070), la population mondiale se stabilisera voire commencera à décliner. Au cours des cinquante dernières années, les pays en voie de développement ont connu une baisse de la fécondité, le nombre moyen d'enfants mis au monde étant passé de six à trois par femme. En 2050, la population mondiale devrait atteindre un peu moins de 9 milliards et il est peu probable qu'elle dépasse de beaucoup le seuil des 10 milliards avant de décliner. Le monde ne vivra bientôt plus avec la nécessité d'accueillir quelque 77 millions d'enfants en plus chaque année. Pourtant, les changements environnementaux ne vont pas s'arrêter pour autant. D'autant que le vieillissement de la population posera de nouveaux défis, en particulier en Europe.

L'école « un plus grand gâteau » recommande une accélération du développement des nouvelles technologies et de la croissance économique, pour produire plus, donc mieux répondre aux besoins de tous. Cette école défend l'idée que l'environnement terrestre sera sauvé par plus de croissance : ses disciples ont une foi élevée dans la courbe environnementale de Kuznets.

Les farouches (mais de plus en plus marginaux) opposants à cette école, le groupe « retour à la bougie », prône en revanche une régression technologique : ils entretiennent la conviction que tout progrès technologique accroît nécessairement la destruction de l'environnement par l'activité humaine. Nous discuterons plus loin une voie intermédiaire entre ces deux positions extrêmes, qui consiste à susciter le développement de nouvelles technologies dont l'impact environnemental est plus faible.

L'école de pensée « de plus petites portions » se fait l'avocat d'une diminution de la consommation : une réorientation de la consommation vers des objectifs qualitatifs plutôt que quantitatifs paraît plus réaliste qu'une diminution de la consommation. Nous discuterons plus loin du changement de valeurs culturelles nécessaire pour modifier en profondeur la composition de la consommation de masse.

L'école « de meilleures manières » met plutôt en avant le besoin de rendre plus équitable la distribution des richesses et l'accès aux ressources. Elle défend l'impératif moral d'une plus grande équité au sein de l'humanité. Le risque de dépasser la capacité de charge de la planète vient de ce que 20 % de la population mondiale s'accaparent une part disproportionnée des ressources naturelles. Il n'est guère étonnant que, lorsque les 80 % restant aspirent légitimement à sortir de la pauvreté, ils occasionnent un raz de marée qui fait déborder le vase de l'équilibre écologique planétaire. Les grandes migrations du Sud vers le Nord contribuent à une meilleure répartition des richesses : puisque les pays industrialisés monopolisent les fruits de la croissance, les habitants des pays pauvres viennent chercher leur part du gâteau.

Cette école « de meilleures manières » prône également une meilleure gouvernance dans notre gestion de la planète et dénonce les politiques étroites et à court terme, les subsides pervers et les pratiques de corruption à l'origine d'une dégradation de l'environnement et d'une distribution inégale des ressources.

L'école de pensée « entretenir le jardin » insiste sur la nécessité de maintenir et régénérer le capital naturel. Elle donne lieu à une nouvelle sous-discipline en écologie qui a pour mission de développer des techniques de restauration des écosystèmes dégradés. Elle adopte une démarche pragmatique : retissons la toile que l'ignorance et l'appât du gain ont détruite, replantons des forêts et réintroduisons des espèces là où elles ont disparu.

L'école de pensée « privatisons le gâteau » considère que toute dégradation environnementale résulte d'une tragédie des biens communautaires et privilégie une appropriation des écosystèmes par des entités définies. Si les différents éléments de la nature étaient privatisés, les ressources naturelles aujourd'hui libres d'accès seraient protégées par leurs propriétaires. En effet, l'homme ne s'occupe vraiment que des ressources pour lesquelles il possède un titre de propriété excluant tout autre utilisateur potentiel. Pour cette école, l'appropriation des ressources naturelles par des entités définies est un préliminaire indispensable à une intégration de la valeur des biens et services fournis par les écosystèmes dans le fonctionnement des marchés : les transactions commerciales ne peuvent pas porter sur des biens publics, d'accès libre, donc gratuits.

Toutes ces solutions se focalisent sur les causes des changements environnementaux. Une approche radicalement différente reconnaît que ces changements sont inévitables et font, par nature, partie des systèmes complexes loin de l'équilibre : le développement socio-économique des sociétés humaines entraîne nécessairement la modification de l'environnement. Augmenter, par des interventions appropriées, la résilience des sociétés humaines et des écosystèmes est possible, à la fois en affaiblissant les rétroactions positives, qui conduisent à une accélération des changements, et en renforçant les rétroactions négatives qui permettent une réorganisation des systèmes.

Cette approche consiste à intervenir sur la dynamique interne du système plutôt que sur les forces extérieures qui, à l'amont, déclenchent les changements. Elle promeut un développement plus adaptatif, qui ne refuse pas le changement environnemental mais le canalise vers une trajectoire de développement durable.

Laquelle de ces multiples écoles de pensée et de ces deux approches (intervenir sur les causes ou sur les rétroactions) est la plus efficace pour maintenir une harmonie entre les processus naturels et le développement de l'humanité ? Comme pour tout problème complexe, seul un savant dosage de toutes ces solutions permettrait de réussir une transition vers un développement durable. Et chaque solution doit être ajustée aux circonstances locales.

Je veux vous présenter maintenant quelques-unes des voies les plus prometteuses dans les domaines technologiques, institutionnels et culturels pour répondre aux changements de l'environnement naturel. L'idée n'est pas de suggérer qu'une seule de ces approches suffira à faire face aux défis environnementaux des prochaines décennies, mais qu'une combinaison équilibrée, hautement cohérente, des différentes approches peut modifier le système société-nature. Toutes les innovations que je vais citer sont déjà à l'œuvre dans les sociétés modernes, le plus souvent de manière embryonnaire.

L'éco-efficacité

Des innovations technologiques permettent de diminuer l'impact de l'activité humaine sur l'environnement et, dans certains cas, de restaurer les fonctions naturelles de l'environnement. L'humanité a besoin de technologies qui augmentent l'efficacité avec laquelle l'énergie, les terres, l'eau et les matériaux sont utilisés pour produire des biens et services. En d'autres termes, les nouvelles technologies doivent permettre de produire autant en utilisant moins de ressources naturelles et en rejetant moins de déchets. Les grandes innovations technologiques des siècles passés ont augmenté la productivité du travail. Les innovations des décennies à venir doivent augmenter la productivité des ressources : c'est ce que l'on appelle « l'éco-efficacité ».

Cet objectif sera atteint en appliquant aux ressources naturelles les principes qu'Henry Ford appliquait dans les années vingt à la main-d'œuvre et aux machines. La productivité du travail a augmenté d'un facteur deux cents dans l'industrie depuis le XVIIIe siècle : dans l'industrie, grâce à des machines performantes et à une meilleure organisation du travail, une personne suffit là où il en fallait deux cents il y a trois siècles. La productivité dans l'utilisation des ressources naturelles et de l'énergie par unité de production n'a, elle, augmenté que d'un facteur dix depuis le XVIIIe siècle : pour produire une tonne d'acier, on utilise seulement dix fois moins d'énergie qu'il y a cent ans.

Le potentiel d'augmentation de l'éco-efficacité des produits courants est considérable. Par exemple, des voitures encore en prototype, plus légères grâce au remplacement de l'acier par des matériaux composites, plus aérodynamiques, avec une propulsion par un moteur hybride électricité-essence (l'électricité étant générée lors de la décélération) consomment 70 à 80 % de combustibles en moins que les voitures des années quatre-vingt. Ces innovations et bien d'autres existent, voire sont disponibles sur le marché.

La réduction des coûts en énergie et en matières premières qui accompagne l'augmentation de l'éco-efficacité accroît les profits des entreprises, créant ainsi des situations *win-win*, pour lesquelles on gagne sur les plans environnemental et économique. Au niveau des ménages, un réfrigérateur économe en énergie réduit les factures d'électricité tout en diminuant les émissions atmosphériques liées à la production d'électricité. Télécharger un logiciel par le réseau Internet est plus rapide et moins coûteux que son achat en magasin, rend superflu le support matériel et son emballage et évite la pollution causée par son transport en camion. La récupération du gaz des décharges à immondices offre un combustible à faible coût à partir d'une ressource abondante et renouvelable : les déchets. Diminuer la consommation en ressources naturelles ou la pollution accroît souvent la prospérité, une fois les investissements dans des technologies propres amortis.

L'éco-efficacité de la plupart des opérations de production peut encore être augmentée de manière considérable, *a fortiori* dans les régions moins développées. Un large fossé sépare encore la productivité moyenne mondiale de la plupart des activités de production, et la productivité atteinte par l'application de technologies et méthodes performantes, pourtant disponibles. Par exemple, le rendement agricole moyen du maïs est de 4 tonnes par hectare à l'échelle mondiale, pour 7 tonnes aux États-Unis (17 tonnes en Iowa, 21 tonnes dans le cas de champs irrigués). Certes, de tels rendements ne seront jamais atteints dans des régions écologiquement marginales, et une agriculture trop intensive et mal gérée peut générer de graves problèmes environnementaux. Mais ces chiffres illustrent le fait qu'une généralisation de technologies déjà connues permettrait d'accroître considérablement la productivité des ressources naturelles. Et les technologies les plus avancées aujourd'hui ne permettent pas encore d'atteindre la productivité maximale théorique, calculée sur base de limites physiques insurmontables.

Une augmentation de la productivité des ressources n'est qu'un des moyens disponibles pour soulager la nature. Des investissements dans le capital naturel et la lutte systématique contre les pertes et gaspillages tout au long de la chaîne de traitement et de distribution des produits permettent également d'économiser des ressources et de l'énergie. Nourrir la population mondiale nécessitera peut-être moins d'augmenter la quantité d'intrants agricoles (mettre en culture plus de terres, utiliser plus d'engrais et d'eau) que d'augmenter l'efficacité dans l'utilisation des ressources déjà disponibles (optimiser l'utilisation des engrais, des terres en culture et de l'irrigation par une meilleure gestion de ces ressources, et préserver la qualité des sols et de l'eau).

En moyenne 15 % de la production agricole sont perdus après la récolte, au cours du stockage, du traitement et du transport des récoltes. Ce chiffre dépasse 40 % dans certains pays d'Afrique, où le déficit alimentaire est le plus aigu. Il y a donc trois impératifs à prendre en compte : diffuser les technologies existantes, développer de nouvelles technologies et faire la chasse aux multiples formes de gaspillage dans la gestion des ressources.

Mais cet impact positif sur le plan économique de l'éco-efficacité entraîne un « effet de rebond » : la réduction des coûts de production rend les produits plus abordables, donc stimule leur consommation, et les gains sont alors engloutis par l'augmentation de la consommation. Par analogie, l'élargissement d'une autoroute, au lieu d'augmenter la fluidité du trafic, attire plus d'automobilistes. Un effet similaire existe au niveau social : la redécouverte de la valeur de la nature amène un nombre croissant de familles à construire leur maison dans des zones rurales boisées plutôt que de protéger ces paysages naturels. Or consommer plus de produits, chacun un peu moins néfaste pour l'environnement, ne fait guère avancer la cause du développement durable. Cet effet de rebond met à mal la foi démesurée des optimistes en la capacité de la technologie à résoudre les problèmes de l'environnement.

La décarbonisation

Une tendance persistante des technologies concerne la « décarbonisation » des systèmes énergétiques. La combustion du carbone libère de l'énergie mais produit des polluants, responsables du *smog* (combinaison de brouillard et de pollution de l'air) et du changement climatique par un renforcement de l'effet de serre (suite à l'émission de dioxyde de carbone). Pourtant, l'élément le plus utile pour la production d'énergie, dans les hydrocarbures, n'est pas le carbone mais l'hydrogène.

Depuis deux cents ans, les sociétés industrialisées diminuent progressivement le contenu en carbone de leur approvisionnement énergétique. Du point de vue chimique, le rapport entre le nombre d'atomes d'hydrogène et le nombre d'atomes de carbone dans les combustibles utilisés a diminué de manière constante. Le bois, principal combustible avant la révolution industrielle, contient environ dix atomes de carbone utiles pour un atome d'hydrogène : sa combustion libère des quantités élevées de dioxyde de carbone. Le charbon s'approche de la parité (un ou deux atomes de carbone par atome d'hydrogène). Le pétrole contient en moyenne deux atomes d'hydrogène par atome de carbone. Une molécule de méthane (CH_4) est formée de quatre atomes d'hydrogène par atome de carbone. Les énergies nucléaire, hydroélectrique, solaire ou éolienne ne produisent pas de carbone du tout.

Entre 1860 et 2000, le volume de carbone utilisé dans la production d'énergie primaire a donc diminué en moyenne de 0,3 % par an par unité d'énergie produite – une diminution de plus de 40 % au total. La tendance se poursuit avec les promesses offertes par l'hydrogène, dans les piles à combustible pour les voitures, et le développement des énergies renouvelables non polluantes comme l'énergie éolienne.

Cette dernière couvre déjà 20 % des besoins électriques au Danemark et 5 % en Allemagne (seulement 0,12 % aux États-Unis en 1999). Ces chiffres pourraient atteindre 30 %, à condition de relier les champs d'éoliennes (pour contrebalancer les journées improductives sur chaque site) et de s'en servir pour produire de l'hydrogène (à partir de l'eau), qui serait chargé dans des piles à combustible ou des voitures à hydrogène. Les nouvelles technologies, avec des hélices plus longues et une vitesse de rotation réduite, n'ont plus les conséquences mortelles initiales des premières éoliennes sur les populations d'oiseaux.

Mais le développement des énergies renouvelables nécessite qu'elles soient subventionnées au même niveau que les énergies produites à partir du pétrole et du charbon : des programmes nationaux de construction de l'infrastructure requise faciliteraient grandement la reconversion énergétique.

Une utilisation plus efficace de l'énergie dans la vie quotidienne contribue également à la « décarbonisation » des pays industrialisés. À l'échelle mondiale, la quantité d'énergie utilisée par unité de produit économique a atteint un sommet vers 1925 avant de diminuer presque de moitié en 1990. Aujourd'hui, une diminution supplémentaire possible passe par l'utilisation d'appareils électroménagers plus économes et d'ampoules fluorescentes compactes (qui consomment cinq fois moins d'énergie que les ampoules normales et ont une durée de vie dix fois plus longue), une diminution des pertes d'énergie lors de sa distribution et à l'adoption d'innovations architecturales permettant une utilisation plus rationnelle de l'énergie (matériaux de forte inertie thermique, qui retiennent l'énergie solaire reçue pendant la journée pour la restituer la nuit, bonne isolation, surfaces vitrées orientées au sud...). Une diminution de la consommation énergétique par unité de produit économique a été atteinte dans un grand nombre de pays grâce à des économies d'échelle permises par une concentration de la production d'énergie et grâce à la croissance du secteur des services aux dépens de l'industrie, plus gourmande en énergie.

Selon les chefs d'entreprise et écologistes américains Paul Hawken et Amory et L. Hunter Lovins, économiser l'énergie requiert que soit appliqué le « principe du homard » : le gourmet déguste la queue et extrait les gros morceaux de chair des pinces, avant de chercher la chair dans les crevasses de la carapace et dans les pattes, avec dextérité et patience. Les économies d'énergie exigent qu'une attention soit portée aux détails : une fois éliminées les grosses sources de gaspillage , il faut exploiter les multiples petites possibilités de réduire la consommation d'énergie.

Malheureusement, ces évolutions sont loin d'être suffisantes : la consommation totale d'énergie et les émissions totales de carbone ont augmenté à l'échelle de la planète, en même temps que la croissance de l'économie mondiale. La croissance du produit économique mondial a été plus rapide que la diminution des besoins énergétiques par unité de produit économique combinée à la diminution de carbone émis par unité d'énergie consommée : depuis la première révolution industrielle, la consommation d'énergie a augmenté de plus de 2 % par an en moyenne (la consommation énergétique mondiale était 75 fois plus élevée en 1990 qu'en 1800).

La dématérialisation

Des innovations technologiques capables de réduire la qúantité de matériaux requis pour remplir des fonctions économiques particulières auraient également des conséquences positives sur l'environnement. Une telle « dématérialisation » de l'économie diminuerait à la fois les besoins en matières premières, l'impact de la production sur les paysages, les risques pour la santé associés à l'utilisation de matériaux toxiques (le cadmium, le plomb...) et la quantité de déchets produits. En ce qui concerne les matières premières, chaque unité de produit économique dans les pays industrialisés requiert, depuis le début du XXe siècle, de moins en moins de bois, d'acier, de cuivre et de plomb, mais de plus en plus de plastique, d'aluminium, de phosphate et de potasse (ces deux derniers étant des composants importants des engrais chimiques). La substitution de produits métalliques par du plastique a entraîné une diminution du poids des matériaux utilisés mais une augmentation de leur volume.

Plusieurs produits industriels, tels que les ordinateurs personnels, deviennent plus petits et légers, et contiennent davantage de matériaux recyclés. Ici aussi, la tendance à la dématérialisation n'en est qu'à ses débuts et des opportunités existent dans l'allégement, la miniaturisation et le recyclage des produits. Tous les éléments existent pour une révision en profondeur de la production industrielle : efficacité et longévité des produits, conception et confection fondées sur une quantité minimale de matériaux, récupération des rebuts de la production, réutilisation et recyclage des produits usagés, et économies en matériaux grâce à une meilleure qualité des produits et une meilleure conception des modèles. Les consommateurs ont autant à gagner que l'environnement de cette évolution.

Mais, ici encore, l'augmentation de la consommation de produits finis compense et dépasse la dématérialisation de la production. En d'autres termes, malgré la diminution en matériaux dans les produits, la consommation totale de matériaux augmente : même la consommation totale de bois a doublé au cours du XXe siècle, aux États-Unis. La miniaturisation des machines domestiques et leur multifonctionnalisme croissant, au lieu de diminuer la consommation en matériaux par habitant, conduit au contraire à l'acquisition de plus de machines encore. Chaque membre d'une famille veut posséder sa voiture, son téléphone portable, sa chaîne stéréo, son téléviseur et son ordinateur personnel, alors qu'il y a peu un seul de ces objets par famille paraissait suffisant. La quantité de matériaux par unité de volume a fortement diminué dans la construction des maisons, mais celles-ci, qui abritent cependant des ménages de plus en plus petits, sont plus grandes. Les voitures sont construites avec moins d'acier mais les consommateurs achètent plus de grosses voitures (4 x 4 pour aller chercher les enfants à l'école). Les avions sont plus légers mais voyagent plus fréquemment et plus loin. Le réseau Internet donne accès à de vastes quantités d'informations sous forme électronique mais les utilisateurs impriment leurs messages. Les boîtes aux lettres débordent d'imprimés publicitaires qui ne sont jamais lus et la consommation en papier par habitant n'a jamais été aussi élevée.

La lutte contre la pollution

Les technologies de production sont devenues moins polluantes. L'air des villes dans les pays industrialisés est plus respirable : entre 1940 et 1990 aux États-Unis, les émissions de polluants atmosphériques ont diminué en moyenne de 3 % par an par unité de production. Ici, la diminution de la pollution par unité de production a été plus rapide que l'augmentation de la production totale. Aux États-Unis et en Europe, la pollution atmosphérique en dioxyde de soufre et en monoxyde de carbone n'est plus aujourd'hui qu'à un tiers environ de ce qu'elle était il y a trente ans, en particulier dans les grandes villes. Les concentrations en particules fines, en oxydes d'azote, en composés organiques volatils et en ozone ont diminué de 50 à 25 %, même si ces polluants constituent toujours des risques pour la santé et les écosystèmes, et même si leur concentration dans certaines grandes villes continue régulièrement de dépasser les limites considérées comme acceptables pour la santé. Dans les pays riches toujours, la concentration en plomb dans l'air a diminué de 90 % là où l'essence sans plomb est utilisée, et le *smog* urbain est beaucoup moins fréquent qu'auparavant.

Certains fleuves des pays riches sont devenus plus propres. Un saumon a été pêché dans le Rhin en 1992, alors que ses congénères en avaient déserté les eaux depuis 1765 à cause de la pollution. La Tamise a retrouvé des saumons depuis 1974, après une absence de cent quarante années. Ces progrès ont été acquis grâce à des centaines d'innovations technologiques promues et soutenues par des politiques environnementales : des innovations qui ont visé une plus grande éco-efficacité dans les transports (pots d'échappement catalytiques, amélioration des moteurs et de la qualité de l'essence), la production énergétique (passage du charbon au gaz naturel, turbines à gaz à cycle mixte, stockage souterrain des émissions de dioxyde de carbone, construction de parcs à éoliennes), le bâtiment (réduction des pertes d'énergie, utilisation de matériaux recyclés, augmentation du rendement énergétique des appareils électroménagers et des systèmes de chauffage, diminution des émissions de fluorocarbones), l'industrie (réduction des rejets toxiques, utilisation de nouveaux matériaux, amélioration de la gestion de l'énergie, augmentation du rendement énergétique des procédés industriels) et la gestion des déchets (recyclage, utilisation du méthane des décharges contrôlées pour produire de la chaleur et de l'électricité).

Ces progrès techniques ont, pour la plupart, été plus rapides que ce que les experts avaient prévu au début des années quatre-vingt-dix. Ils n'auraient probablement pas vu le jour en l'absence de politiques environnementales ciblées qui promeuvent le potentiel offert par ces nouvelles technologies. L'effort de recherche et de développement doit encore faire accélérer la mise au point de technologies avec un impact environnemental toujours plus faible.

Ces avancées restent cependant le privilège des pays riches. Les pays en voie de développement ont rarement accès à ces nouvelles technologies et n'ont pas la capacité économique de consacrer des ressources à la recherche pour les développer. Dans les grandes villes des pays pauvres, qui abritent deux milliards de personnes, soit un tiers de la population mondiale, la pollution atmosphérique augmente et atteint des niveaux inquiétants. L'Organisation mondiale de la santé estime que la pollution de l'air contribue à la mort de plus de cinq millions d'enfants dans le monde chaque année.

La technologie a parfois pour effet de remplacer un problème environnemental par un autre. Avant que la voiture ne remplace le cheval dans les grandes villes, des tonnes de crottin devaient être évacuées. Cette masse de fumier nauséabond, porteur de maladies et attirant des nuées de mouches, était alors la source majeure de pollution urbaine. Les carcasses de chevaux morts devaient être éliminées par milliers. Deux hectares de céréales étaient nécessaires pour nourrir chaque cheval, ce qui contribuait à une expansion agricole aux dépens de forêts en périphérie des villes. En 1900, l'Angleterre comptait un cheval pour dix habitants et les États-Unis un cheval pour quatre habitants.

Avec l'introduction de la voiture, les rues sont devenues plus propres, alors que la qualité de l'air se dégradait. À l'échelle mondiale, les émissions atmosphériques liées aux transports augmentent à un rythme accéléré. Depuis l'ère du transport à cheval, la pollution a donc été transférée vers l'atmosphère mais également vers les côtes, victimes de marées noires, et vers les régions riches en pétrole.

Des projets pour restaurer et réparer

De nouvelles technologies sont développées pour réparer les dégâts causés au système terrestre par l'activité humaine. En ce qui concerne les écosystèmes, une nouvelle sous-discipline, l'« écologie de la restauration », permet d'accélérer la récupération de sites naturels : elle reproduit autant que possible, par des interventions artificielles, des processus naturels, avec à la clé des études détaillées du fonctionnement de l'écosystème sur lequel une intervention est prévue.

À l'autre extrême, la « géo-ingéniérie » prône une manipulation intentionnelle, à grande échelle, de l'environnement terrestre, sur la base de moyens technologiques avancés. Lancée par l'URSS dans les années trente, puis utilisée à des fins militaires – sans grands succès – aux États-Unis pendant de la guerre du Vietnam, cette discipline s'est penchée sur le changement climatique global induit par l'homme à partir des années quatre-vingt : plutôt que de réduire les causes du changement climatique ou de s'adapter à ses effets, la géo-ingéniérie propose de manipuler le système climatique dans son ensemble. Parmi les propositions faites par l'ingénierie du climat se trouvent notamment : celle d'envoyer dans l'espace de gigantesques miroirs chargés de réfléchir les rayons du soleil pour contrecarrer le réchauffement global,

celle de fertiliser des océans avec du fer pour stimuler la croissance du plancton, donc sa capacité à absorber le carbone atmosphérique, de créer des organismes génétiquement modifiés capables d'absorber le carbone, sur terre et dans les océans ou, de manière plus spéculative encore, celle de modifier les courants océaniques (qui distribuent la chaleur à travers le globe) par la construction de barrages géants. Ces propositions – toutes objets de recherches sérieuses – reflètent une confiance démesurée dans les prouesses technologiques des sociétés modernes. Les effets pervers possibles de telles manipulations, potentiellement irréversibles, ont de quoi faire frémir.

Le rôle des institutions

On l'a vu, l'innovation technologique est un élément nécessaire mais pas suffisant de la solution aux problèmes environnementaux. Elle doit être accompagnée de changements organisationnels et culturels. Pour atteindre une trajectoire de développement durable, les institutions (définies comme l'ensemble des règles, des procédures de prise de décision et des programmes qui définissent la pratique sociale) doivent se transformer, stimuler l'innovation technologique, mettre en œuvre à grande échelle les solutions technologiques déjà connues et contrecarrer l'effet de rebond précédemment décrit.

Le défi est de concevoir un environnement institutionnel qui encourage les acteurs privés à prendre en charge les coûts à court terme afin de créer des bénéfices à long terme pour la communauté, par de savants dosages entre la création d'incitations positives à protéger l'environnement et la menace de sanctions négatives en cas de dégradation d'un bien environnemental public, entre des interventions de l'État et l'appel à des actions volontaires de la part entreprises, entre des outils législatifs et les mécanismes de marché. L'équilibre ne peut être trouvé que dans un système de gouvernance influent, mais laissant une grande liberté aux acteurs privés.

Pour diminuer l'impact des activités économiques sur l'environnement, les institutions peuvent utiliser un système législatif, qui sanctionne ou encourage les acteurs privés à respecter l'environnement : lois définissant des normes environnementales, punissant les pratiques destructrices, réglementant le droit d'entrée des entreprises dans certains secteurs sensibles (par l'octroi de licences d'exploitation), interdisant des produits ou matériaux qui posent un danger environnemental et déterminant des objectifs d'éco-efficacité.

Cette approche *top down* se complète d'une approche *bottom up* lorsque des associations de citoyens poursuivent en justice des industries privées ou l'État, réclamant des dommages et intérêts pour des préjudices subis si leur santé ou leurs propriétés sont affectées par une forme de pollution. À l'instar des anciens fumeurs qui intentent des actions en justice contre l'industrie du tabac, les personnes ayant subi des dommages dans le domaine environnemental pourraient, à grande échelle, recourir aux tribunaux.

Ainsi, en 2002, neuf États du nord-est des États-Unis ont lancé une procédure en justice contre l'administration du président George W. Bush pour avoir affaibli une loi sur la protection de l'environnement, adoptée en 1970 sous la présidence de Richard Nixon. L'accusation spécifie que la décision du président Bush de ne plus obliger les usines les plus polluantes à adopter des technologies de contrôle de la pollution est la source de pluies acides, de *smog*, d'asthme et de maladies respiratoires qui vont affecter des millions d'Américains. Une autre action en justice a été introduite par des États américains contre l'administration Bush pour ne pas avoir lutté contre le changement climatique global. Un gouvernement peut donc modifier sa législation environnementale, compenser lui-même les personnes qui subissent des dommages environnementaux ou représenter ces personnes dans une action en justice contre des pollueurs.

Une législation trop contraignante imposée aux entreprises peut avoir des effets pervers. L'imposition de coûts de production excessifs associés à des normes environnementales strictes peut diminuer la compétitivité des entreprises, donc leur capacité à investir dans de nouvelles technologies. Un contexte législatif trop lourd peut également entraîner des délocalisations d'entreprises vers des pays plus laxistes, soit une exportation de la pollution des pays riches vers les pays pauvres.

Il y a deux mille ans, Lao Tseu suggérait déjà que « gouverner un grand pays est comme cuire une platée de petits poissons : il faut se garder de trop remuer ». Les politiques environnementales ont un impact sur la compétitivité des entreprises, mais le débat reste ouvert quant à savoir si cet impact est négatif ou positif. Des normes environnementales strictes pèsent sur les coûts de production, mais incitent les entreprises à moderniser leurs procédés et à accroître leur éco-efficacité. L'image d'une entreprise respectueuse de l'environnement devient un argument de fidélisation des clients, des employés et des actionnaires. Les consommateurs utilisent de plus en plus leur portefeuille comme un bulletin de vote : ils boycottent les produits et les entreprises qui ont la réputation de ne pas respecter l'environnement et favorisent les produits dont le caractère écologique a été certifié, même si leur coût est légèrement supérieur. Les investisseurs se tournent vers les fonds d'investissement responsables sur le plan social, qui regroupent des entreprises ayant de bonnes performances environnementales et sociales, en plus d'avoir de bonnes performances financières.

Les institutions et le marché

Les institutions peuvent également intervenir sur les marchés pour inciter les acteurs économiques à adopter des comportements dont l'impact environnemental est minime. Les États peuvent intervenir par des subventions encourageant les pratiques écologiquement correctes, des taxes sur la pollution et les déchets (écotaxes), un système de certification lié à la qualité de la gestion environnementale et la création de nouveaux marchés pour les services fournis par les écosystèmes naturels (marchés pour la purification de l'eau ou la protection de la biodiversité par des terres sous couvert végétal naturel, par exemple).

Dans chaque cas, il faut trouver la formule la plus efficace sur le plan environnemental, tout en laissant le plus de liberté possible aux producteurs et aux consommateurs. Par exemple, une taxe sur la teneur en carbone des carburants est plus efficace qu'une taxe sur leur teneur en énergie : la taxe sur l'énergie pénalise toute forme de consommation énergétique, alors que la taxe sur le carbone favorise les carburants « propres ».

Les moyens pour promouvoir une production et une consommation durables sont sans limites. Par exemple, si la rémunération d'un architecte était en partie fondée sur les économies d'énergie réalisées grâce à l'utilisation de nouvelles technologies de chauffage et d'éclairage, les solutions les plus éco-efficaces seraient *de facto* privilégiées. Payer un chauffagiste sur la base non pas du nombre de chaudières installées mais des « degrés centigrades heure » fournis à un bâtiment inciterait le technicien à fournir cette quantité de chaleur au moindre coût. Il préférerait les chaudières à haut rendement, s'associerait à des entreprises d'isolation thermique et développerait une relation à long terme avec ses clients pour l'entretien et l'optimisation des systèmes de chauffage.

Pour certains biens, la pratique du *leasing* encourage la réparation et le recyclage des machines obsolètes par le producteur, qui reste propriétaire de son équipement « du berceau au tombeau ». Les entreprises qui louent le matériel ont intérêt à le concevoir de manière à pouvoir facilement réutiliser les composants à la fin de la vie de la machine. Appliquer une taxe de circulation sur les voitures et l'assurance automobile en fonction du nombre de kilomètres parcourus encouragerait les conducteurs à contrôler l'utilisation de leur véhicule et mettrait en œuvre le principe du « pollueur payeur ».

De manière plus fondamentale, si les taxes sur le travail et le capital étaient en partie transformées en taxes sur les ressources et sur la pollution, les entreprises auraient intérêt à diminuer la consommation de ressources non renouvelables et le rejet de polluants en utilisant une plus grande force de travail. De nouveaux ouvriers auraient pour tâche le recyclage des déchets et des pièces. Des ingénieurs se spécialiseraient dans la recherche d'économies d'énergie et dans la mise au point de procédés visant à une dématérialisation de la production. Un effort supplémentaire de recherche serait consenti pour rendre les ressources plus productives et les procédés de production moins polluants. La résolution de problèmes environnementaux irait de pair avec une augmentation de l'emploi.

Une simple décision politique qui consisterait à modifier la structure des taxes – à volume constant de taxation – suffirait à communiquer aux entreprises le signal que le pays s'engage résolument sur une trajectoire de développement durable. La pollution et le chômage ne sont pas une fatalité : ils résultent de politiques de taxation inadaptées et sont la conséquence d'une série d'incitations biaisées, aux dépens du travail et en faveur d'une dégradation de l'environnement.

Bien entendu, transformer le régime de taxation exige de grandes précautions, de façon que la charge fiscale se répartisse de manière équitable entre les secteurs d'activités et entre les acteurs de la société. Cela ne peut se faire que progressivement, pour laisser aux entreprises un temps d'adaptation raisonnable. Cet ajustement fiscal devrait avoir pour seule ambition d'ajuster les prix des produits à leur coût réel, y inclus le coût que leur production ou leur consommation inflige à l'environnement, donc aux générations futures.

La mise en place de marchés environnementaux

L'attribution de quotas d'émission échangeables (les fameux « permis de polluer ») permet également aux entreprises de s'acquitter de leurs obligations environnementales à faible coût, voire de manière rentable.

Un tel marché de la pollution est en place aux États-Unis depuis le début des années quatre-vingt-dix. L'Environmental Protection Agency aux États-Unis a distribué aux producteurs d'électricité de tout le pays des permis d'émettre du dioxyde de soufre, à l'origine de la pollution de l'air des villes et des pluies acides. Ces entreprises ont reçu une sorte de titre de propriété pour certaines quantités d'émissions de dioxyde de soufre. Il leur est interdit de polluer au-delà, sous peine de sanctions. Ces quotas sont inférieurs à la quantité de pollution émise pour une année de référence puisque l'objectif était une diminution de la pollution. Les entreprises ont la possibilité d'acheter et de vendre leurs permis d'émission.

Les entreprises les plus propres et les plus éco-efficaces ont ramené leurs émissions au-dessous des quotas qui leur étaient attribués moyennant un faible coût. Elles ont alors vendu leurs permis de polluer excédentaires aux entreprises les plus polluantes. En revanche, les entreprises dont la technologie et l'équipement étaient peu éco-efficaces auraient dû investir des sommes considérables pour réduire leurs émissions. Acheter des permis de polluer leur revenait moins cher que moderniser leurs installations. En termes plus techniques, les entreprises qui ont des coûts marginaux de réduction des émissions élevés ont acheté des droits d'émission aux entreprises dont les coûts de réduction marginaux sont faibles. Le prix de ces permis évolue au gré de l'offre et de la demande. Des spéculateurs achètent même ces permis en postulant que leur valeur augmentera à l'avenir.

Quelques années après la mise en œuvre de ce programme, la réduction des émissions de dioxyde de soufre a été atteinte, pour un coût dix fois moins élevé que ce qui avait été estimé initialement, sans règles excessivement rigides et contraignantes. Le défi est maintenant de diminuer les quotas de pollution, ce qui ne va pas sans résistances. Certains envisagent de généraliser ce dispositif à des services fournis par les écosystèmes, tels que la fixation du carbone, la purification de l'eau, la prévention des inondations, la pollinisation des plantes, le renouvellement de la fertilité des sols ou la préservation de la biodiversité.

Le caractère équitable de ce système – appelé *cap and trade* – dépend largement du mode d'attribution des « permis » de polluer ou d'exploiter des ressources naturelles. En effet, un préalable à la mise en œuvre d'un marché environnemental est la distribution de biens initialement publics – donc gratuits – à des entités privées. Cette « privatisation de la nature » pose des questions d'équité. Qui a le droit de distribuer des permis de pêcher une certaine quantité de poissons dans les océans ? Qui a le droit de recevoir ces permis, et en quelle quantité ? Qui peut participer aux échanges de ces permis ? Accepterait-on qu'une entreprise de pêche d'un pays riche achète tous les permis de pêche octroyés à des entreprises d'un pays pauvre, même si ces permis couvrent le droit de pêche dans les eaux territoriales de ce pays pauvre ? Comment contrecarrer une stratégie qui consisterait à acheter les permis de pêche à des concurrents sans les exercer, simplement pour faire monter les prix ?

Il faut incontestablement définir les frontières d'un marché environnemental et éviter qu'une nature privatisée ne se trouve concentrée entre les mains de quelques-uns, qui acquerraient ainsi un monopole sur certains services fournis par les écosystèmes. Les législations contre l'abus de position dominante doivent être étendues aux marchés environnementaux.

Ce concept de « permis de polluer » échangeables est aujourd'hui appliqué au sein de certaines entreprises, dans lesquelles un marché interne a été créé pour permettre à différents départements d'atteindre des objectifs d'économie d'énergie. Il est également mis en œuvre à l'échelle mondiale, dans le cadre du protocole de Kyoto sur les changements climatiques. Dans ce dernier cas, les échanges portent sur le carbone qui, sous sa forme dioxyde de carbone, contribue au renforcement de l'effet de serre. Ainsi, un agriculteur brésilien qui reboise sa parcelle et permet ainsi à la végétation d'absorber du carbone pourra vendre des « crédits de carbone » sur un marché international auquel un pays industrialisé qui ne parvient pas à remplir ses obligations de réduction des émissions de dioxyde de carbone s'approvisionnera. L'agriculteur augmentera ses revenus, le reboisement s'accélérera et le taux de dioxyde de carbone dans l'atmosphère diminuera.

Une question cruciale concerne les procédures de surveillance et de vérification de ces mesures de protection des services des écosystèmes naturels, en particulier sur le long terme. Comment s'assurer que les nouvelles plantations d'arbres ne seront pas brûlées pour faire place à des parcelles agricoles ou détruites par un feu de forêt incontrôlé, après que le propriétaire aura vendu ses crédits de carbone ?

Le côté le plus remarquable de ces initiatives est que la recherche du profit, en partie responsable de la dégradation de l'environnement, est canalisée pour résoudre les problèmes environnementaux. En modifiant les règles du jeu, la recherche de l'intérêt individuel peut être réconciliée avec le bien public à long terme. Par la création de marchés pour les permis de polluer, les services fournis par les écosystèmes ne sont plus gratuits. Leur valeur est capturée par ces marchés environnementaux et reflétée dans leur prix. Les externalités négatives (la pollution et la dégradation des écosystèmes qui affectent un grand nombre d'acteurs) et positives (les bénéfices pour tous d'une protection de la nature) sont « internalisées ».

Il faut pour cela établir un système de prix et de paiements qui reflètent les impacts – négatifs et positifs – de l'activité humaine sur les écosystèmes. La nature sera protégée une fois que la valeur véritable des services qu'elle fournit sera intégrée dans les décisions quotidiennes. Selon la formule de Richard Sandor, économiste américain, au lieu de considérer la nature comme un buffet « à volonté » – qui peut prétendre qu'il ne mange pas au-delà de sa faim devant un tel buffet ? –, on la verra comme un restaurant où l'on paie à la carte. Bien que la notion de marchés environnementaux risque de déplaire à de nombreux militants écologistes, une telle innovation institutionnelle rendrait la protection de la nature profitable, donc attirerait les entrepreneurs et les capitaux vers des activités écologiques.

Les accords internationaux

Des actions coordonnées à l'échelle internationale, par la signature de traités multilatéraux sur l'environnement, ont pour fonction d'assurer une équité, à l'échelle mondiale, dans l'effort de préservation de la planète.

Au cours des dernières décennies, plus d'une centaine de conventions internationales sur l'environnement ont été signées dans des domaines aussi divers que la couche d'ozone, la pêche, la désertification, la biodiversité, les zones humides, les espèces migratoires, etc. La plupart de ces traités souffrent des mêmes maux : négociations interminables, engagements vagues, interprétations divergentes, manque de coordination entre traités, faiblesse des moyens, complexité bureaucratique dans la mise en œuvre, refus de ratification, absence de mécanismes pour faire respecter leur mise en vigueur. La plupart du temps, il faut compter sur une mise en œuvre à l'échelle nationale ou régionale de règles négociées à l'échelle internationale. Certains reprochent à ces traités de n'avoir qu'une valeur symbolique et rester lettre morte.

Un des rôles essentiels de ces traités est de favoriser la diffusion des technologies avancées et peu polluantes vers les pays les plus pauvres, par des investissements, des transferts d'expertise, des programmes de financement et des formations d'experts nationaux. Lorsque, pour chaque voiture neuve incluant la technologie la plus propre achetée dans l'Union européenne, une voiture d'occasion polluante part pour l'Europe de l'Est ou pour le port de Dakar, aucun problème environnemental mondial n'est résolu. Les optimistes peuvent clamer que le développement économique entraîne une diminution de la pollution, cela ne concerne que les pays riches. Seuls des investissements majeurs de la part des pays riches permettront aux pays en voie de développement – donc au monde – de suivre une trajectoire de développement durable.

Toutes les solutions organisationnelles proposées ici reposent sur la volonté des gouvernements de créer un contexte institutionnel favorable et de vaincre la résistance des groupes de pression qui défendent des intérêts particuliers. L'exemple des pays scandinaves montre à quel point une volonté gouvernementale peut produire une transformation rapide dans la manière de gérer l'environnement, sans pénaliser l'économie. Le contre-exemple de l'administration de George W. Bush rappelle de manière pathétique que quelques centaines de votes peuvent faire reculer un pays de plusieurs décennies dans sa législation environnementale, avec des conséquences pour l'ensemble de la planète et pour les générations futures.

Les réponses culturelles

Si tout le monde devenait végétarien d'ici la fin de ce siècle, il serait possible de nourrir une population mondiale de 9 milliards d'habitants sans augmenter la superficie mise en culture, en conservant la technologie agricole actuelle. En effet, à l'échelle mondiale, un tiers des céréales servent d'aliments pour le bétail. Or plusieurs kilogrammes de céréales sont nécessaires pour produire un kilogramme de viande. Ces chiffres illustrent le fait que l'impact environnemental de l'activité humaine dépend largement du mode de vie des habitants de la planète – ce qu'ils consomment, comment ils vivent – et pas seulement de leurs technologies de production et de leurs institutions. La consommation de biens et de services est le point final de toute la chaîne de production. Les choix des consommateurs déterminent donc ce qui se passe à l'amont : ce qui est produit, en quelles quantités et selon quels modes de production.

L'augmentation des besoins matériels, du confort et du temps consacré aux loisirs a augmenté l'impact des sociétés sur l'environnement de manière continue au cours des derniers siècles. Comparé à ses ancêtres, l'homme moderne possède une maison plus spacieuse et mieux chauffée, accumule plus d'objets pour équiper et décorer cette maison, voyage sur de plus grandes distances et consacre une plus grande partie de son temps et de son budget à des loisirs qui consomment de l'énergie et des ressources naturelles. Ces changements dans le mode de vie ont plus que largement compensé les gains en éco-efficacité dus aux innovations technologiques.

Le mode de vie évolue en fonction de caractéristiques sociales et démographiques telles que les revenus, le temps de travail et le temps consacré aux loisirs, la taille des ménages, la durée de vie et de la retraite. Des facteurs apparemment anodins tels que les heures d'ouverture des bureaux et des magasins influencent la consommation énergétique des entreprises et le mode de déplacement des particuliers : des heures d'ouverture étendues augmentent la période pendant laquelle les bâtiments sont chauffés et éclairés et permettent un étalement du trafic dans le temps, donc encourage l'usage de la voiture individuelle. Plus fondamentalement, le mode de vie dépend de l'évolution des normes sociales (les mœurs) et des préférences individuelles (les goûts), qui contribuent à déterminer les facteurs socio-démographiques précédents.

Le vrai défi pour les pays riches consiste à rompre le lien entre la qualité de la vie et la consommation effrénée de biens matériels et de services consommateurs d'énergie (dans les pays en voie de développement, une croissance de la consommation est nécessaire compte tenu de la pauvreté qui affecte une large fraction de la population). Comme nous l'avons vu, la consommation ne peut pas être globalement saturée. Les besoins pour des biens particuliers peuvent cependant être satisfaits et la consommation réorientée vers d'autres catégories de biens, moins nocifs pour l'environnement.

La seule forme de saturation d'un besoin observée de nos jours concerne la consommation de nourriture dans les classes sociales à revenus élevés : la quantité d'aliments qui peut être absorbée en une journée par un individu sain est limitée. En revanche, le besoin générique de manger peut évoluer d'un objectif quantitatif (manger plus) à un objectif qualitatif (manger mieux) : une nourriture plus saine et variée, des condiments provenant de l'agriculture biologique, une préparation plus fine des mets, de meilleurs vins… Améliorer la qualité des repas n'entraîne pas une augmentation de l'impact environnemental de la consommation – c'est même le contraire lorsqu'une préférence est donnée aux produits de l'agriculture biologique.

À l'avenir, d'autres besoins génériques pourraient être satisfaits par une consommation de biens préférables pour l'environnement : se déplacer sur de courtes distances à bicyclette pour entretenir sa condition physique et profiter de petits sentiers plutôt que faire de longs déplacements en voiture ; établir son identité et son statut social par ses qualités humaines, sa générosité ou sa culture plutôt que par la possession de biens matériels coûteux ; trouver un accomplissement de soi et les satisfactions d'une vie sociale à travers des activités locales de préservation et de restauration de la nature (création et entretien d'une aire protégée dans son quartier) plutôt que par des activités qui nécessitent de longs déplacements et dégradent l'environnement (assister à une course automobile) ; investir pour rendre sa maison plus efficace sur le plan énergétique plutôt que pour l'agrandir ; etc.

Selon Bob Kates, géographe américain, l'évolution de la consommation doit être promue sur base de six principes, qui touchent tant à l'offre qu'à la demande : diminuer le contenu en énergie et en matériaux des biens consommés (décarboniser l'énergie et dématérialiser les produits) ; déplacer la consommation vers des biens qui répondent aux mêmes besoins mais dont l'impact environnemental négatif est plus faible (promouvoir les énergies renouvelables) ; substituer la consommation de biens riches en matériaux et énergie par d'autres biens riches en information (promouvoir une vie sociale et culturelle riche) ; augmenter le degré de satisfaction des besoins à partir de ce que l'on possède déjà, par un usage plus intensif des biens acquis (prendre le temps de profiter de son jardin) ; rassasier les besoins déjà remplis à un niveau élevé (se satisfaire de la voiture que l'on possède déjà, malgré l'attrait des nouveaux modèles) ; et sublimer les besoins de biens matériels vers des besoins d'un niveau plus élevé (viser des objectifs nobles sur les plans social, moral ou esthétique).

La promotion d'un mode de consommation pour lequel « plus est trop » est également liée à un impératif éthique qui exige « assez pour tous ». L'équité dans la répartition mondiale des richesses est intimement liée à l'évolution de la consommation dans les pays riches. Définir un nouveau modèle de consommation fondé sur la qualité de la vie plutôt que sur la quantité de biens matériels ne s'apparente pas à une position hostile à la croissance économique. C'est au contraire prôner la croissance d'un secteur de services dont l'impact sur l'environnement est faible.

Pour qu'elle influence le comportement de la majorité, cette évolution de la consommation se fera sur le long terme : un mouvement pour une consommation plus responsable doit se frayer un chemin dans la puissante vague de fond qui vise à consommer toujours plus de biens. De tous les défis scientifiques, technologiques et sociaux qui sous-tendent l'impact de l'activité humaine sur l'environnement, la modification des désirs de consommation est probablement le plus complexe. D'une part, de puissants intérêts commerciaux conditionnent les couches les plus vulnérables de la population – les enfants, les adolescents et certains segments des populations des pays en voie de développement –, lesquels pourront difficilement se déconditionner (on le voit avec le tabac, dont l'industrie ne peut cependant pas dire que la cigarette répond à un besoin fondamental et sain des consommateurs). D'autre part, on connaît encore mal les motivations profondes de la consommation, ainsi que son lien avec l'individualisme caractéristique de la culture occidentale.

Modifier la perception sociale d'un mode de consommation n'est cependant pas une utopie : la transformation, dans les sociétés occidentales, de l'image du fumeur, de la personnalité forte et indépendante des années soixante au compulsif incapable de contrôler ses besoins autodestructeurs, de nos jours, le prouve. Une mutation de l'image du surconsommateur et du pollueur est également possible dans les prochaines décennies. Elle se produit déjà à l'échelle internationale, où la décision de l'administration de George W. Bush de ne pas signer le protocole de Kyoto a été le premier acte qui, en 2001, a créé la perception mondiale d'un gouvernement américain au comportement unilatéral, égoïste, influencé par quelques lobbies industriels retardataires et choisissant la prospérité à court terme pour une minorité, quel qu'en soit le prix pour les générations futures de l'ensemble de la planète.

Les changements dans le mode de consommation impliquent que l'attitude individuelle face aux finalités de la vie sociale se transforme : chacun doit réapprendre à voir dans le monde plus qu'un gigantesque supermarché et reconsidérer la place de l'homme sur Terre. Jusqu'à présent, les grandes décisions humaines étaient prises en postulant que ce qui était bon pour l'homme était bon pour la planète. Désormais, les interactions croissantes entre l'activité humaine et le système terrestre requièrent un principe complémentaire qui veut que ce qui est bon pour la planète Terre le soit pour nous.

Au XXe siècle, le système de valeurs et l'organisation sociale ont été modelés par l'évolution technologique, en particulier par l'exploitation des énergies fossiles et les procédés industriels que cette abondance d'énergie permettait. Or, si la technologie a sa propre logique, elle n'est qu'un moyen, pas une fin en soi. Elle n'est bénéfique que si elle sert un idéal social élevé. En outre, l'évolution, sur le long terme, des règles collectives et des comportements individuels aura un impact bien plus décisif sur l'environnement que celui lié aux innovations technologiques. Il nous faut forger un nouvel ordre de valeurs qui soit fondé sur un sentiment d'appartenance au monde.

Quelques idées simples

Imaginons qu'une loi rende obligatoire, quand il y a de la place dans un véhicule, d'accueillir toute personne faisant de l'auto-stop. Vous pourriez sortir de chez vous et monter dans la première voiture de passage, quitte à changer une ou deux fois de véhicule pour arriver à destination, sans jamais attendre. Un équilibre s'installerait spontanément entre le nombre de voitures en circulation et le nombre d'auto-stoppeurs. Lorsque ce dernier serait faible par rapport au nombre de voitures, le temps d'attente serait minime, ce qui fera de l'auto-stop une solution attractive. Un excès d'auto-stoppeurs inciterait un plus grand nombre de personnes à utiliser leur voiture. La personne qui préférerait profiter de son véhicule personnel supporterait seule le coût du déplacement : en transportant quelques personnes, elle paierait à la communauté, sous la forme d'un service, la charge que l'usage de sa voiture fait subir à la société.

Cette mesure, qui ne coûterait rien, réduirait le trafic d'un facteur deux ou trois (en supposant que chaque voiture transporte deux à trois passagers). Elle aurait de multiples bénéfices : diminution de la consommation de pétrole, réduction de la pollution et des embouteillages et utilisation plus efficace de l'infrastructure routière et du parc automobile. Sans compter ce que ce système apporterait en termes de lien social. Une telle politique enfreindrait-elle la liberté individuelle ? Si chaque voiture est bien une propriété privée, les routes appartiennent à l'État qui a donc le droit d'en définir les règles d'utilisation.

À ma connaissance, cette idée n'a encore jamais été appliquée sous cette forme simple. Le covoiturage en est une version organisée et institutionnalisée, qui ne concerne qu'une fraction de la population. Ainsi, les conducteurs qui traversent le Bay Bridge entre Berkeley et San Francisco sont exonérés de péage s'ils ont plusieurs passagers dans leur voiture. La file de gauche de nombreuses autoroutes, en périphérie des grandes villes américaines, est réservée, durant les heures de pointe, aux voitures avec passagers.

Des moyens alternatifs de déplacement peuvent être développés. La ville de Pasadena en Californie a distribué des bicyclettes à ses employés pour peu qu'ils les utilisent lors de leurs déplacements. À Copenhague, des vélos publics peuvent être retirés en de nombreux points de la ville moyennant une garantie de quatre euros, récupérés lorsque la bicyclette est replacée dans n'importe quel parking à vélos de la ville (le principe est identique à l'utilisation des caddys dans les supermarchés mais fonctionne à l'échelle de toute la ville) : dans cette ville, rouler à vélo est devenu le symbole d'un statut social et l'expression de valeurs de solidarité, flexibilité et responsabilité vis-à-vis de l'environnement.

Albert Einstein a déclaré qu'un mode de pensée qui a créé un problème est impuissant à le résoudre. Ce qui expliquerait que notre culture moderne favorise, en réponse aux questions environnementales, les solutions technologiques complexes et coûteuses, qui ne sont souvent qu'une élaboration des technologies à la source des problèmes. Un mouvement, qui trouve son origine dans le fameux *small is beautiful* de l'économiste allemand, formé à Oxford, E.F. Schumacher, cherche au contraire à trouver des solutions hors de la logique du problème. Penser en dehors du cadre (*think outside the box*) est une entreprise intellectuellement difficile mais permet souvent de trouver des solutions simples, évidentes une fois qu'elles sont identifiées, et peu coûteuses.

Certains gouvernements du Sahel ont encouragé un temps l'achat de réchauds à gaz, dans le but de remplacer le bois comme combustible domestique et de limiter la déforestation. Comme peu de paysans ont la possibilité d'acheter des bonbonnes de gaz, cette solution technologique coûteuse n'a pas apporté de résultats satisfaisants. Dans les années quatre-vingt, une organisation non gouvernementale a eu l'idée de promouvoir dans les villages la construction de petits fours en terre cuite (appelés « foyers améliorés »), très simples, qui augmentent considérablement la fraction de chaleur produite par la combustion du bois utilisé : la quantité de bois consommée est inférieure d'au moins 30 % à celle nécessaire dans la cuisson traditionnelle (la casserole posée sur de gros cailloux). Les paysans ont appris à construire ce four avec les matériaux disponibles localement, à un coût négligeable. Cette solution rudimentaire s'est avérée bien plus efficace que toute autre.

Les ressources en eau de qualité deviennent rares. Or, dans les pays industrialisés, on utilise la même eau potable de bonne qualité pour boire, cuisiner, se laver, tirer la chasse d'eau, arroser le jardin et nettoyer la voiture. L'existence, dans chaque maison, de deux circuits d'eau, l'un d'eau potable, l'autre d'eau de pluie récoltée à partir des toits, permettrait des économies considérables. Plus simple encore, réparer la chasse d'eau, le robinet ou la vieille canalisation qui fuient permettrait à chaque ménage d'économiser en moyenne un dixième de sa consommation en eau.

Les meilleures inventions sont les plus simples, ce qui fait dire au physicien et inventeur américain Edwin Land qu'une invention n'est rien d'autre qu'une

« cessation soudaine de stupidité ». Ainsi, l'agriculture peut diminuer ses besoins en eau de 95 % en n'inondant pas les champs pendant toute la saison agricole, en n'arrosant pas à grand jet à l'heure où l'ensoleillement cause une forte évaporation, mais en apportant l'eau goutte à goutte au niveau des racines, pendant la phase de croissance des cultures, lorsque l'humidité du sol descend sous un certain seuil (détecté par un capteur logé dans le sol). Pourtant, ce système d'irrigation de précision n'était utilisé, en 2000, que sur 1 % des terres irriguées à l'échelle mondiale.

Les meilleures inventions résolvent plusieurs problèmes à la fois : au lieu de se concentrer sur des problèmes particuliers qui affectent des compartiments isolés d'un système de production ou de consommation, elles abordent ces systèmes dans leur ensemble. Elles harmonisent le fonctionnement de toutes les parties du système, donc les performances de l'ensemble. La ville de Curitiba au Brésil a mis sur pied un programme d'« échange vert » : dans les quartiers défavorisés, les autorités échangent des sacs de déchets triés par les habitants contre des bons de transports publics ou de nourriture (œufs, lait, oranges et pommes de terre) achetée par la ville aux fermes environnantes. Deux kilogrammes de déchets recyclables s'échangent contre un kilogramme de nourriture. Les deux tiers des déchets de Curitiba sont ainsi recyclés. En plus de maintenir la propreté des quartiers, d'assurer une nourriture saine aux plus pauvres, d'alimenter de petites entreprises en matières recyclables, de créer de l'emploi et d'éviter la propagation de maladies liées à la pollution de l'eau, ce programme garantit une demande stable pour des produits agricoles, ce qui maintient les fermiers en activité sur leurs terres plutôt que de les voir gonfler les bidonvilles.

Le temps de réponse

Le *Titanic* a sombré non pas parce que son capitaine n'a pas vu l'iceberg vers lequel le navire se dirigeait, mais parce qu'il l'a vu trop tard. Le progrès technique a considérablement augmenté la masse (donc l'inertie) et la vitesse de déplacement du navire. Mais, à l'époque, la technologie de détection des icebergs qui dérivent n'a pas évolué en parallèle. De la même manière, on peut se demander si notre capacité à anticiper les risques environnementaux a évolué aussi rapidement que notre activité économique et ses conséquences écologiques. Le défi qui se pose aujourd'hui à l'humanité est sans commune mesure avec les défis qui se sont posés aux petites sociétés anciennes contraintes de modifier leur trajectoire de développement lors des crises environnementales. Compte tenu de leur taille, de leur complexité croissante et de l'absence de direction centrale, nos systèmes sociaux et économiques ont acquis une incroyable inertie.

Le défi peut être relevé mais l'histoire humaine montre que les sociétés ont tendance à attendre que les menaces deviennent tangibles pour réagir, ce qui accroît le risque d'échec. Dès la fin du XIXe siècle, la ville de Londres souffrait d'un *smog* fréquent, causé par les fumées d'usines, les feux domestiques au charbon et, plus tard, les autobus au diesel. En 1873, la pollution fut si dense que des piétons tombèrent dans la Tamise, faute de visibilité. Les impacts de ce *smog* sur la santé avaient été largement étudiés pendant la période victorienne, mais il fallut attendre une triste semaine de décembre 1952, au cours de laquelle un épais brouillard noir et sulfurique causa la mort de quatre mille personnes (près du double dans les trois mois qui ont suivi) pour que les connaissances scientifiques soient traduites en mesures politiques concrètes. Encore le Clean Air Act ne fut-il approuvé par le Parlement britannique qu'en 1956, non sans que le gouvernement conservateur de l'époque ait tenté de mettre les décès sur le compte d'une épidémie de grippe : mais la Grande-Bretagne exportait alors à grands bénéfices son charbon propre, gardant le charbon le plus « sale » (chargé en soufre) pour ses centrales électriques et ses foyers.

De manière similaire, le renforcement de l'effet de serre par la pollution atmosphérique a été, pour la première fois, énoncé en 1896 par le Suédois Svente Arrhenius. Cent ans plus tard, aucune mesure politique concrète n'avait été mise en œuvre. Pis, le gouvernement conservateur américain met toujours en doute la réalité d'un changement climatique – tout en subventionnant généreusement l'extraction du charbon et du pétrole. Faudra-t-il que l'histoire se répète et qu'un accident climatique majeur survienne pour déclencher une initiative politique efficace ? La différence serait ici que, non pas une ville, mais l'ensemble de la planète serait affecté.

Le problème de la prise de décision dans l'incertitude est vieux comme le monde. Si la décision tarde trop et que les conséquences sont irréversibles, le délai d'intervention a un coût exorbitant. Or, paradoxalement, les gouvernements qui ont fait de l'« action préventive » une stratégie militaire et de politique étrangère se refusent à l'adopter dans le seul domaine où elle est facile à justifier, à savoir la protection de l'environnement.

Étant donné le temps nécessaire au changement, le temps du changement est venu. Certaines des évolutions en cours vont persister : la couche d'ozone mettra un siècle à se reconstituer, alors que les substances chimiques destructrices ne sont plus rejetées dans l'atmosphère. Le dioxyde de carbone ajouté à l'atmosphère au XXe siècle y restera plusieurs centaines d'années et continuera à réchauffer le climat. La pollution des mers fermées comme la Méditerranée persistera des décennies, même si on cessait d'y déverser quotidiennement des polluants. Les sols érodés demanderont plusieurs siècles pour se reconstituer. Dans certaines régions, les stocks de poisson surexploités mettront plusieurs décennies à se régénérer une fois la pêche arrêtée. Les espèces animales ou végétales éteintes ne réapparaîtront jamais. La mer d'Aral restera un désert de sel pendant des décennies. Les retombées radioactives de Tchernobyl seront mortelles pendant encore 24 000 ans.

Or il faut plusieurs décennies à une société pour incorporer des changements technologiques importants dans son organisation de base, surtout si les différentes technologies sont dépendantes les unes des autres et ont des taux de remplacement différents. Ainsi, les automobiles, qui ont remplacé les chevaux en quelques années, ont mis cinquante ans à se répandre largement : leur développement dépendait d'investissements en infrastructures de longue durée (macadamisation des chemins, construction d'autoroutes), d'une modification de la structure de l'habitat (périurbanisation) et d'une augmentation des revenus.

L'obstacle principal à la diffusion de la voiture à hydrogène vient moins du temps nécessaire au remplacement du parc automobile que du coût nécessaire à la mise en place des infrastructures de stockage et de distribution de l'hydrogène. Or les constructeurs de voitures ne commercialiseront les voitures à hydrogène qu'une fois que 20 à 30 % des stations-service fourniront de l'hydrogène. Les stations-service ne feront les investissements requis qu'une fois qu'un nombre suffisant de voitures à hydrogène sera en circulation.

La diffusion des idées et des institutions est encore plus lente. Une société a besoin d'un siècle environ pour changer fondamentalement ses valeurs culturelles. Étant donné l'énorme inertie dans les systèmes technologique, institutionnel et culturel, une réaction rapide de l'humanité face aux défis environnementaux s'impose. Comme le dit le biologiste américain Peter Vitousek : « Nous sommes la première génération qui a les outils pour comprendre les changements dans le système terrestre qui sont causés par les activités humaines, et la dernière génération qui a l'opportunité d'influencer le cours d'un grand nombre des changements qui ont lieu aujourd'hui. »

Conclusion

« Ne désespérez jamais. Faites infuser davantage. »
Henri Michaux

L'homme a toujours réorganisé les systèmes naturels, et les changements environnementaux ne sont pas nécessairement des dégradations de cet environnement. Ils peuvent d'ailleurs représenter une dégradation pour certains utilisateurs d'un écosystème, et une amélioration pour d'autres, selon leurs intérêts et leur horizon temporel. L'évaluation du caractère positif ou non d'un changement environnemental doit tenir compte : de la valeur des biens et services engendrés par l'écosystème modifié (elle doit être supérieure, pour l'ensemble des utilisateurs, à la valeur des biens et services que fournissait l'écosystème à l'état naturel) ; des conséquences dans la durée (en tenant compte du caractère renouvelable ou non des ressources, de leur capacité à se régénérer, des conséquences, en cascade, d'une intervention humaine sur une ressource naturelle) ; des conséquences pour les individus qui ne sont pas directement impliqués (un changement environnemental n'est positif que si les externalités négatives sont minimes) ; du degré d'équité dans les conséquences (la plupart des services fournis par la nature sont des biens publics : l'ensemble des utilisateurs a donc un droit égal à bénéficier de ces services ; la même règle s'applique entre générations) ; et du fait que, les connaissances évoluant, l'utilisation des écosystèmes naturels doit maintenir ouvertes les options futures et préserver un stock minimal de ressources naturelles intactes (une extinction d'espèces biologiques, par exemple, supprime un potentiel de développement qui, s'il n'est pas encore exploité aujourd'hui, pourrait l'être à l'avenir).

Au cours de l'histoire humaine, de nombreuses sociétés sont parvenues à renverser une trajectoire de dégradation de l'environnement grâce à des mutations culturelles, politiques, sociales, économiques et technologiques. D'autres, au contraire, se sont effondrées, en particulier lorsque la classe dirigeante n'a pas perçu, anticipé ou compris la nature de cette dégradation, n'a pas réagi ou lorsque la capacité technologique, institutionnelle ou économique d'innover a fait défaut.

Cette fois, l'humanité s'est embarquée dans une vaste expérience pour laquelle il n'y a pas de direction centrale, pas de vision à long terme, aucune possibilité de retour en arrière et pas de seconde chance. Sa trajectoire actuelle de développement, si elle devait être poursuivie sans modification majeure, n'est pas tenable sur le plan environnemental. Or, vu l'ampleur mondiale et la rapidité sans précédent des changements environnementaux contemporains, l'inertie des systèmes naturels et sociaux et la complexité croissante des économies mondialisées, l'humanité doit anticiper les crises environnementales et ajuster maintenant son rapport à son environnement.

Le modèle de développement adopté par les sociétés modernes jusqu'à présent a été celui de la « destruction

Schumpeter
J.-P. Dupuy

créative » : l'exploitation destructive de ressources naturelles engendre des crises environnementales, qui stimulent l'introduction de nouveaux modes d'exploitation. Les risques de cette stratégie deviennent élevés quand les changements interviennent rapidement et à l'échelle mondiale. Une fois certains seuils dépassés, les altérations de l'environnement peuvent être irréversibles et rendre inopérante l'introduction tardive de nouveaux modes de gestion des ressources.

Un autre mode de développement est possible : après tout, nos ancêtres ne sont pas sortis de l'âge de la pierre faute de pierres ! Le « développement adaptatif » repose sur une vision plus dynamique des interactions entre les activités humaines et l'environnement naturel. La société augmente sa capacité à faire face aux changements, sa résilience face aux surprises environnementales. Elle anticipe les problèmes environnementaux en évaluant régulièrement le fonctionnement des écosystèmes ; elle détecte les problèmes à un stade précoce et les résout avant qu'ils ne deviennent sérieux.

Cette capacité de rectifier sans cesse la trajectoire requiert une organisation efficace dans laquelle tous les acteurs participent à la prise et à la mise en œuvre des décisions, c'est-à-dire un système véritablement démocratique, caractérisé par un degré élevé de justice sociale, dans lequel la grande majorité souscrit à un projet commun d'avenir, projet qui mobilise l'enthousiasme et la créativité des individus. Le développement adaptatif est le modèle adopté par le funambule : il n'attend pas de frôler la chute pour rectifier sa trajectoire, il avance en réagissant sans cesse, rapidement et de manière subtile à de petites oscillations qui l'éloignent de l'équilibre. Comme ce le, la Terre et l'humanité qui l'occupe évoluent

.

ns-nous être pessimistes ou optimistes sur l'avenir de notre planète, donc sur celui de l'humanité ? Un optimisme conditionnel est de mise : nous pouvons être optimistes à la condition que le pessimisme suscité par les données scientifiques actuelles nous pousse dès à présent à modifier notre mode de développement. Aucune barrière économique ou technologique infranchissable ne se dresse sur notre route. L'avenir dépend de notre clairvoyance et de choix tant politiques qu'individuels. Le meilleur moyen de prédire l'avenir est de l'inventer. Pour cela, les sociétés doivent choisir entre des options fondamentales.

Libre-échange ou contrôle étatique ? Les mécanismes de marché peuvent-ils résoudre les problèmes environnementaux ou une intervention étatique est-elle nécessaire ? La somme des décisions individuelles conduit-elle nécessairement au bien commun à long terme ? Comment accorder un « droit de vote » aux générations futures ? Le marché est le moyen le plus efficace et le plus flexible pour emporter l'adhésion des acteurs et diminuer les coûts, mais il me semble que son encadrement par l'État est indispensable si l'on veut qu'il intègre dans son fonctionnement les biens et services fournis par la nature. En outre, une intervention de l'État est nécessaire pour fixer les règles permettant de faire converger le bien individuel et le bien commun.

Centralisation ou décentralisation ? Un vaste gouvernement mondial est-il nécessaire pour gérer les problèmes environnementaux de la planète ou faut-il déléguer les décisions à l'échelle locale, là où existe un savoir adapté aux circonstances locales, là où les réseaux sociaux sont les plus solides ? On l'a vu, une combinaison de pouvoirs à plusieurs niveaux, qui coordonnent leurs actions et s'échangent l'information nécessaire (et seulement celle-là) est la solution la mieux adaptée : les décisions sont prises au niveau hiérarchique auquel le problème se pose et auquel la compétence pour le résoudre existe. Ceci confère des responsabilités à ceux qui sont motivés par la résolution d'un problème et maximise l'efficacité du système total. Chaque sous-système est autonome et responsable, mais obtient de l'aide des niveaux supérieurs.

Réformes ou révolution ? Peut-on répondre aux défis du développement durable par une série de petites réformes ou faut-il en passer par une véritable révolution ? La stratégie des réformes progressives tend à proposer des solutions « en bout de conduite » (*end of pipe solutions*), c'est-à-dire de petites innovations qui réduisent les inconvénients d'une technologie existante, tout en renforçant sa position dominante et en prolongeant sa vie. On ajoute un pot d'échappement catalytique à la voiture à essence, plutôt que de lancer la voiture à hydrogène et de concevoir un large système de transports publics. On élève les cheminées des usines polluantes afin de disperser leurs fumées toxiques sur un plus grand territoire plutôt que d'investir dans de nouveaux procédés industriels. Ces petites solutions minimisent le coût à court terme mais retardent une mutation pourtant inévitable, qui sera d'autant plus coûteuse pour la société qu'elle aura été repoussée dans le temps. À l'inverse, un changement plus radical aurait l'avantage de résoudre le problème, mais risque d'avoir un coût élevé pour les entreprises et de laisser de côté les

acteurs les plus faibles, incapables de transformer leur organisation ou d'investir dans une technologie plus propre. Il faut donc trouver le moment juste pour agir dans chaque domaine, dans chaque région du monde : il est un temps où de petites réformes maintiennent le système en équilibre parce que les connaissances pour une révolution en profondeur ne sont pas suffisantes ; il est un autre temps pour un changement en profondeur. Retarder cette révolution aura des conséquences économiques et environnementales coûteuses, voire irréversibles. Mais cette révolution doit être initiée dans le calme, par la formulation d'idées originales.

Prévention ou réparation ? Lorsqu'une activité humaine a un impact négatif sur l'environnement, faut-il supprimer la cause de la dégradation (par exemple, en interdisant les polluants à l'origine de la destruction de la couche d'ozone) ? Ou est-il préférable de développer de nouvelles technologies capables de compenser, voire de réparer les dégâts (par exemple, injecter dans la stratosphère de l'ozone produit de manière industrielle) ? Fondamentalement, l'homme ne peut intervenir de manière réparatrice que lorsqu'il a parfaitement compris le fonctionnement du système concerné, et s'est ainsi assuré qu'il allait éviter tout effet secondaire imprévu.

Domination ou adaptation ? L'humanité doit-elle chercher à dominer les processus naturels, ou doit-elle s'adapter aux fluctuations de la nature. Peut-elle s'affranchir des contraintes imposées par la nature et supprimer la variabilité des processus naturels ou doit-elle accroître sa capacité d'adaptation ? Les connaissances sur le fonctionnement du système terrestre sont, à ce jour, bien trop insuffisantes pour que l'humanité ait la prétention de maîtriser la nature. Vivre et co-évoluer avec la nature est la seule option qui s'offre à elle. Chaque tornade, vague de froid, tremblement de terre… même dans des pays avancés, nous rappelle que la nature ne se laisse pas dompter.

Le défi majeur est de créer un contexte riche en situations *win-win*, c'est-à-dire en opportunités d'augmenter le niveau de vie, de diminuer les inégalités en même temps que réduire la pression exercée par l'activité humaine sur le système terrestre. Là où de telles opportunités n'existent pas, la société doit définir ses priorités et être prête à renoncer à un enrichissement à court terme au profit d'un développement à long terme.

Mais les changements reposent aussi sur l'attitude des individus. Pourtant, l'échelle et la complexité des problèmes environnementaux suscitent souvent un sentiment d'impuissance, l'impression que le poids des décisions individuelles est négligeable et la conviction que l'avenir se décide en dehors de la sphère d'influence de chaque personne. Cependant, si six milliards et demi de personnes modifiaient, ne fût-ce qu'un peu, leurs décisions quotidiennes dans des directions convergentes, une révolution profonde dans l'histoire de l'humanité se produirait.

Chaque individu est à la fois consommateur, électeur, éducateur et innovateur potentiel. En tant que consommateur, nous détenons le pouvoir de voter avec notre portefeuille : choisir un produit pour ses performances environnementales en plus de sa qualité ; prêter attention aux certificats écologiques associés à certaines marchandises, comme le bois tropical ; boycotter certaines marques qui feraient preuve d'une négligence persistante vis-à-vis de l'environnement.

Plus important encore, nous contrôlons notre consommation et pouvons fixer nos seuils de satiété pour des biens matériels. Nous pouvons modifier dans notre consommation l'équilibre entre des biens gourmands en matière et en énergie, et des activités sociales et culturelles neutres ou positives pour l'environnement. Nous pouvons simplifier notre vie et choisir de nous concentrer sur l'essentiel.

En tant qu'électeur, nous avons la liberté de voter pour les candidats et partis politiques qui défendent un programme susceptible de promouvoir un développement durable. Les partis écologistes n'ont d'ailleurs pas le monopole de telles préoccupations et le spectre des solutions possibles dépasse les clivages traditionnels entre la gauche et la droite. Entre les périodes d'élection, il est de notre devoir de rappeler aux hommes politiques leurs engagements, de les confronter à leurs contradictions et de leur signifier les priorités, par exemple en exprimant notre opinion par lettre aux élus.

En tant qu'éducateur – notamment de nos enfants, petits-enfants, de nos élèves –, notre rôle est décisif : il s'agit de transmettre des valeurs qui vont au-delà de notre intérêt immédiat, y compris par l'exemple d'une attitude responsable envers le monde, d'un désir de compréhension mutuelle et de solidarité, d'une capacité à se contrôler dans l'intérêt général et à accomplir des actions bénéfiques pour l'humanité, pour les générations futures et pour la planète Terre.

En tant qu'innovateur potentiel, nous pouvons constamment améliorer notre gestion des ressources, corriger nos erreurs, partager les leçons apprises et être réceptif face aux innovations proposées par les autres et par le marché. Des idées simples, mises en œuvre par tous, auront probablement plus d'impact que quelques gadgets technologiques coûteux réservés à une élite.

Mais les innovations et révolutions culturelles qui auront lieu dans nos pays « avancés » auront un impact négligeable sur l'avenir de la planète si elles ne rencontrent pas aussi les besoins des 80 % restants de la population mondiale : cette partie du monde, laissée en marge au XXe siècle, fait son entrée en force dans le grand jeu de la croissance économique et son cortège d'impacts environnementaux. Elle devra emprunter une voie de développement qui évite les gaspillages et la destruction environnementale caractéristiques de notre propre développement industriel aux XIXe et XXe siècles. Ceci demandera des investissements importants et un partage à l'échelle mondiale des connaissances et des technologies.

Les idées et les mouvements culturels pour un développement durable ne manquent pas, même si ces derniers ne touchent encore qu'une minorité. Initier une autre façon d'habiter la planète Terre, en accord avec sa diversité, sa complexité et sa beauté, relève du pouvoir et de la responsabilité de chacun.

Bois ~~[illegible]~~ de Ségur

Le q.d. bout : unité des présents
sortie de la [intention ?] réflexion ?
créatrice → 3e fonction

égalité conjointe
pleins [illegible]

égalité différenciée

Faits de Doct
{ impôt sur l'énergie
{ 0,5 % du PIB des riches

Mobilités en fonction de l'empreinte écologique

S et V
nous avons besoin de techniques appropriées (définition)

Nouvelle géographie :
par biomes
partage des savoirs :
nous pouvons [illegible] [illegible].
[illegible]

Bibliographie

Préambule

Carlson R., *Silent Spring*, Houghton Mifflin, 1962.

Introduction

Bailey R., *Global Warming and other eco-myths ?*, Roseville, Forum, 2002.

Balmford A., Bruner A., Cooper P. et al., Economic reasons for conserving wild nature, *Science* 297, 950-53, 2002.

Caldwell L.K., Is humanity destined to self-destruct ?, *Politics and the life sciences* 18 (1), 3-14, 1999.

Condorcet, marquis de, *Esquisse d'un tableau historique des progrès de l'esprit humain*, 1795.

Crutzen P.J., Geology of mankind, *Nature* 415, 23, 2002.

Daily G.C. (ed.), *Nature's services. Societal dependence on natural ecosystems*, Washington DC, Island Press, 1997.

Jablonski D., Extinctions : a paleontological perspective, *Science* 253, 754-7, 1991.

Lomborg B., *The sceptical environmentalist. Measuring the real state of the world*, Cambridge, Cambridge University Press, 2001.

Malthus T., *An essay on the principle of population ; or a view of its past and present effects on human happiness*, 1878.

McNeill J.R., *Something new under the sun. An environmental history of the twentieth-century world*, New York, W.W. Norton & Company, 2001.

Millenium Ecosystem Assessment 2003, *Ecosystems and human well-being : a framework for assessment*, Washington, Covelo, Londres, Island Press, 2003.

Myers N., Environmental unknowns, *Science* 269, 358-60, 1995.

Norgaard R.B., Optimists, pessimists and science, *Bioscience* 52 (3), 287-92, 2002.

Ponting C., *A green history of the world. The environment and the collapse of great civilizations*, New York, St Martin's Press, 1991.

Redman C.L., *Human impact on ancient environments*, Tucson, University of Arizona Press, 1999.

Steffen W., Sanderson A., Tyson P.D., Jäger J., Matson P. et al., *Global change and the earth system : a planet under pressure*, Berlin, Springer, 2004.

Tainter J.A., *The collapse of complex societies*, Cambridge, Cambridge University Press, 1988.

Chapitre I

Achard F., Eva H.D., Stibig H.J., Mayaux P., Gallego J. et al., Determination of deforestation rates of the world's humid tropical forests, *Science* 297, 999-1002, 2002.

Ball J.B., Global forest resources : history and dynamics, in Evans J. (ed.), *The forests handbook*, Oxford, Blackwell Sci., 2001, vol. I, pp. 3-22.

Belyaev A.V., Water balance and water resources of the aral sea basin and its man-induced changes, *GeoJournal* 35.1, 17-21, 1995.

Chow J., Kopp R.J., Portney P.R., Energy resources and

global development, *Science* 302 (5650), 1528-31, 2003.

Crutzen P.J., Geology of mankind, *Nature* 415, 23, 2002.

Dirzo R., Raven P.H., Global state of biodiversity and loss, *Annual review in environment and resources* 28, 137-168, 2003.

Dixon J.A., Talbot L.M., LeMoigne G. J.-M., Dams and the environment, considerations in World Bank projects, *World Bank technical paper* 110, 1989.

Döös B.R., Population growth and loss of arable land, *Global environmental change : human and policy dimensions* 12 (4), 303-11, 2002.

Fagan B.M., *How climate made history* 1300-1850, New York, Basic Books, 2001.

Folke C., Jansson Å., Larsson J., Costanza R., Ecosystem appropriation by cities, *Ambio* 26 (3), 167-72, 1997.

Population Division, Department of Economic and Social Affairs, United Nations Secretariat, *World urbanization prospects : the 2001 revision* (ESA/P/WP.173), New York, UN Publ., 2002.

Glazovsky N.F., The Aral sea basin, in Kasperson J.X., Kasperson R.E., Turner B.L. (eds.), *Regions at risk : comparisons of threatened environments*, Tokyo, United Nations University Press, 1995, pp. 92-139.

Gleick P.H., Soft water paths, *Nature* 418, 373, 2002.

Gleick P.H., Water use, *Annual review in environment and resources* 28, 275-314, 2003.

Goldewijk K.K., Estimating global land use change over the past 300 years : the HYDE database, *Global biogeochemical cycles* 15 (2), 417-34, 2001.

Gregg J.W., Jones C.G., Dawson T.E., Urbanization effects on tree growth in the vicinity of New York City, *Nature* 424, 183-7, 2003.

Groupe d'experts intergouvernemental sur l'évolution du climat (GIEC), *Bilan 2001 des changements climatiques : les éléments scientifiques*, Contribution du groupe de travail I et III au troisième rapport d'évaluation du Groupe d'experts intergouvernemental sur l'évolution du climat (GIEC), 2001.

Grübler A., Technology, in Meyer W.B., Turner B.L., *Changes in land use and land cover : a global perspective*, Cambridge, Cambridge University Press, 1994, pp. 287-328.

Grübler A., *Technology and global change*, Cambridge, Cambridge University Press, 1998.

Hawken P., Lovins A., Lovins L.H., *Natural capitalism creating the next industrial revolution*, Boston, New York, Little, Brown and Company, 1999.

Hutter B., Compliance and beyond, *European Business Forum on sustainable development*, 2002, pp. 11-12.

International Council for Science (ICSU), *New genetics, food and agriculture : scientific discoveries, societal dilemmas*, http://icsudqbo.alias.domicile.fr, 2003.

International Tanker Owners Pollution Federation Ltd, *Tanker oil spill statistics*, http://www.itopf.com/stats.html, 2000.

Irion R., The melting snows of Kilimanjaro, *Science* 291, 1690-1, 2001.

Johnson N., Revenga C. et Echeverria J., Managing water for people and nature, *Science* 292 (5519), 1071-2, 2001.

Kalnay E., Cai M., Impact of urbanization and land-use change on climate, *Nature* 423, 528-31, 2003.

Lambin E.F., Geist H. et Lepers E., Dynamics of land use and cover change in tropical regions, *Annual review of environment and resources* 28, 205-41, 2003.

Maddison A., *L'Économie mondiale. Une perspective millénaire*, OCDE, 2001.

Matson P.A., Parton W.J., Power A.G., Swift M.J., Agricultural intensification and ecosystem properties, *Science* 277, 504-9, 1997.

McNeill J.R., *Something new under the sun. An environmental history of the twentieth-century world*, New York, W.W. Norton & Company, 2001.

Mittermeier R., Mittermeier C.G., Gil P.R., Pilgrim J., Fonseca G. et al., *Wilderness : earth's last wild places*. Chicago, University of Chicago Press, 2003.

Myers R.A. et Worm B., Rapid worldwide depletion of predatory fish communities, *Nature* 423, 280-283, 2003.

Nepstad D.A., Veríssimo A., Alencar A., Nobre C., Lima E. et al., Large-scale impoverishment of Amazonian forests by logging and fire, *Nature* 398, 505-8, 1999.

Pauly D. et Watson R., The last fish, *Scientific American*, July, 43-7, 2003.

Pimm S.L., Russell G.J., Gittleman J.L., The future of biodiversity, *Science*, 269 (5222), 347-350, 1995.

Ramankutty N., Foley J.A., Estimating historical changes in global land cover : croplands from 1700 to 1992, *Global biogeochemical cycles* 13 (4), 997-1027, 1999.

Ramankutty N., Foley J.A., Olejniczak N.J., People on the land : changes in global population and croplands during the twentieth century, *Ambio* 31 (3), 251-57, 2002.

Sala O.E., Chapin III F.S., Armesto J.J., Berlow E., Bloomfield J. et al., Global biodiversity scenarios for the year 2100, *Science* 287, 1770-4, 2000.

Schiermeier Q., How many more fish in the sea ?, *Nature* 419, 662-5, 2002.

Serageldin I., World poverty and hunger. The challenge for science, *Science* 296, 54-8, 2002.

Young A., *Land resources. Now and for the future*, Cambridge, Cambridge University Press, 1998.

Steffen W., Sanderson A., Tyson P.D., Jäger J., Matson P. et al., *Global change and the earth system : a planet under pressure*, Berlin, Springer, 2004.

The World Conservation Union (IUCN), *Species extinction*, http://www.iucn.org/news/mbspeciesext.pdf, 2003.

Tilman D., Global environmental impacts of agricultural expansion : the need for sustainable and efficient practices, *Proceedings of national Academy of Sciences* USA 96 (11), 5995-6000, 1999.

Turner B.L.II, Kasperson R.E., Meyer W.B., Dow K.M., Golding D. et al., Two types of environmental change, *Global environmental change* 1 (1), 14-22, 1990.

FAO, Global forest resources assessment 2000 (FRA 2000) : main report, *FAO forestry papers* 140, Rome, FAO, 2001.

FAO, http://www.fao.org/fi/statist/statist.asp, 2003.

Vitousek P.M., Mooney H.A., Lubchenco J., Melillo J.M., Human domination of earth's ecosystems, *Science* 277, 494-9, 1997.

Vörösmarty C.J., Sahagian D., Anthropogenic disturbance of the terrestrial water cycle, *Bioscience* 50 (9), 753-65, 2000.

Warren-Rhodes K. et Koenig A., Escalating trends in the urban metabolism of Hong Kong : 1971-1997, *Ambio* 30 (7), 429-38, 2001.

Young A., Is there really spare land ? A critique of estimates of available cultivable land in developing countries, *Environment, development and sustainability* 1, 3-18, 1999.

Chapitre II

Blaikie P., Brookfield H., *Land degradation and society*, Londres, Methuen, 1987.

Bossel H., *Earth at a crossroads. Paths to a sustainable future*, Cambridge, Cambridge University Press, 1998.

Costanza R., Visions, values, valuation, and the need for an ecological economics, *Bioscience* 51 (6), 459-468, 2001.

Daily G.C., Ellison K., *The new economy of nature : the quest to make conservation profitable*, Washington, Island Press, 2002.

Diamond J., *Guns, germs, and steel : the fates of human societies*, New York, W.W. Norton & Company, 1999.

Edgerton R.B., *Sick societies. Challenging the myth of primitive harmony*, New York, The Free Press, 1992.

Fullerton D., Stavins R., How economists see the environment, *Nature* 395, 433-4, 1998.

Greenwood B., Mutabingwa T., Malaria in 2002, *Nature* 415 (6872), 670-672, 2002.

Holling C., *Adaptive resource management and assessment*, New York, Wiley-Interscience, 1978.

Marsh G.P., *The earth as modified by human action. A new edition of man and nature*, 1874.

Marten G.G., *Human ecology. Basic concepts for sustainable development*, Londres, Earthscan, 2001.

Masood E. et Garwin L., Costing the earth : when ecology meets economics, *Nature* 395, 426-7, 1998.

Norgaard R.B., *Development betrayed. The end of progress and a coevolutionary revisioning of the future*, Londres, Routledge, 1994.

Patten C., Lovejoy T., Browne J., Brundtland G., Shiva V. et al., *Respect fort the earth. Sustainable development*, Londres, Profiles Books, 2000.

Pearce D., An intellectual history of environmental economics, *Annual review in energy and the environment* 27, 57-81, 2002.

Pearce D.W., Turner R.K., *Economics of natural resources and the environment*, Baltimore, The John Hopkins University Press, 1989.

Rambo A.T., Conceptual approaches to human ecology, *Research report* 14, Honolulu, East-West Environment and Policy Institute, 1983.

Rappaport, R.A., Maladaptations in social systems, in Friedman J. et Rowlands M.J. (eds.), *The evolution of social systems*, Pittsburgh, University of Pittsburgh Press, 1978, pp. 49-87.

Redman C.L., *Human impact on ancient environments*, Tucson, The University of Arizona Press, 1999.

Stewart J.H., *Theory of culture change*, Urbana, University of Illinois Press, 1955.

Toynbee A.J., *A study of history*, New York, Oxford University Press, 1947.

Chapitre III

Arrow K., Bolin B., Costanza R., Dasgupta P., Folke C. et al., Economic growth, carrying capacity, and the environment, *Science* 268, 520-1, 1995.

Barrett G.W., Odum E.P., The twenty-first century :

the world at carrying capacity, *Bioscience* 50 (4), 363-8, 2000.

Berkes F., Folke C. (eds.), *Linking social and ecological systems : management practices and social mechanisms for building resilience*, Cambridge, Cambridge University Press, 2002.

Boserup E., *The conditions of agricultural growth*, Londres, Allen and Unwin, 1965.

Cohen J.E., Population growth and earth's human carrying capacity, *Science* 269, 341-6, 1995.

Cohen J.E., *How many people can the earth support ?* New York, Londres, WW Norton & Company, 1995.

Commoner B., *Bulletin of atmospheric science* 28 (17), 42-56, 1972.

Costanza R., Visions, values, valuation, and the need for an ecological economics, *Bioscience* 51 (6), 459-468, 2001.

Dietz T., Ostrom E., Stern P.C., The struggle to govern the commons, *Science* 302 (5652), 1907-1912, 2003.

Dixon J.A., Talbot L.M., LeMoigne G.J.M., Dams and the environment, *World Bank technical paper* n° 110, Washington, The International Bank for Reconstruction and Development, 1989.

Ehrlich P.R., Holdren J.P., The impact of population growth, *Science* 171, 1212-7, 1971.

Ekins P., The Kuznets curve for the environment and economic growth : examining the evidence, *Environment and planning* 29, 805-30, 1997.

Ezzati M., Singer B.H., Kammen D.M., Towards an integrated framework for development and environment policy : the dynamics of environmental Kuznets curves, *World development* 29 (8), 1421-34, 2001.

Feeny D., Berkes F., McCay B.J., Acheson J.M., The tragedy of the commons : twenty-two years later ?, *Human ecology* 18 (1), 1-19, 1990.

Hardin, G., The tragedy of the commons, *Science* 162, 1243-8, 1968.

Holling C.S., Resilience and stability of ecological systems, *Annual review in ecology and systematics* 4, 1-23, 1973.

Kessler J.J., Usefulness of the human carrying capacity concept in assessing ecological sustainability of land-use in semi-arid regions, *Agriculture, ecosystems and environment* 48, 273-84, 1994.

Kuznets S., Economic growth and income inequality, *American economic review* 45, 1-28, 1955.

Laris P., Burning the seasonal mosaic : preventative burning strategies in the wooded savanna of southern Mali, *Human ecology* 30 (2), 155-186, 2002.

Lee R.D., Malthus and Boserup : a dynamic synthesis, in Coleman D. et Schofield R. (eds.), *The state of population theory*, Oxford, Basil Blackwell, 1986, pp. 96-130.

Levin S.A., Barrett S., Aniyar S., Baumol W., Bliss C. et al., Resilience in natural and socioeconomic systems, *Environment and development economics* 3, 223-44, 1998.

Mather A.S., Needle C.L., Fairbairn J., Environmental Kuznets curves and forest trends, *Geography* 84 (1), 55-65, 1999.

Ostrom E., Burger J., Field C.B., Norgaard R.B., Policansky D., Revisiting the commons : local lessons, global challenges, *Science* 284, 278-82, 1999.

Pearce D.W., Turner R.K., *Economics of natural resources and the environment*, Baltimore, The John Hopkins

University Press, 1989.

Ponting C., *A green history of the world. The environment and the collapse of great civilizations*, New York, St Martin's Press, 1991.

Redman C.L., *Human impact on ancient environments*, Tucson, University of Arizona Press, 1999.

Sneath D., Ecology : State policy and pasture degradation in Inner Asia, *Science* 281, 1147-8, 1998.

Tainter J.A., *The collapse of complex societies*, Cambridge, Cambridge University Press, 1988.

Turner B.L., Kasperson R.E. et al., A framework for vulnerability analysis in sustainability science, *Proceedings of the National Academy of Sciences* 100 (14), 8074-9, 2003.

Vellinga P., Industrial transformation : towards sustainability in production and consumption processes, *IHDP Update* 4, 6-8, 2001.

Vitousek P.M., Ehrlich P.R., Ehrlich A.H., Matson P.A., Human appropriation of the products of photosynthesis, *Bioscience* 36, 368-73, 1986.

Wackernagel M., Schulz N.B., Deumling D., Callejas Linares A., Jenkins M. et al., Tracking the ecological overshoot of the human economy, *Proceedings of the National Academy of Sciences* 99 (14), 9266-71, 2002.

Waggoner P.E., Ausubel J.H., A framework for sustainability science : a renovated IPAT identity, *Proceedings of the National Academy of Sciences* 99 (12), 7860-5, 2002.

Wilkinson R. G., *Poverty and progress. An ecological model of economic development*, Londres, Methuen & Co, 1973.

Chapitre IV

Barbier E.B., The economic determinants of land degradation in developing countries, *Philosophical transactions of the Royal Society of London* 352, 891-9, 1997.

Bourdieu P., *La Distinction. Critique sociale du jugement*, Paris, Éditions de Minuit, 1979.

Bruggink J.J.C., The global potential for drastic reduction of greenhouse gas emissions, *Change* 50, 10-15, 2000.

Carvalho G.O., Nepstad D., McGrath D., Vera Diaz M. del C., Santilli M. et al., Frontier expansion in the Amazon. Balancing development and sustainability, *Environment* 44 (3), 35-45, 2002.

Costanza R., Government-sponsored perversity, *Bioscience* 51 (5), 408-10, 2001.

Cotta A., *La Société ludique*, Paris, Grasset, 1980.

Crumley C.L., *Historical ecology*, Santa Fe, School of American Research Press, 1994.

Dietz T. et Rosa E.A., Rethinking the environmental impacts of population, affluence, and technology, *Human ecological review* 1, 277-300, 1994.

Ehrlich P., *The population bomb*, New York, Ballantine, 1968.

Hérodote, *Les Histoires* 1 (traduit aussi sous le titre L'Enquête).

International Road Federation, *White paper on roads and the greenhouse effect*, http://www.irfnet.org/archives/documents/ WhitePapers/Greenhouse_interactive.pdf, 2001.

Kates R.W., Population and consumption. What we know, what we need to know, *Environment* 42 (3), 10-9, 2000.

Keilman N., The threat of small households, *Nature* 421, 489-90, 2003.

Kempton W., Payne C., Cultural and social evolutionary determinants of consumption, in *Environmentally significant consumption : research directions*, Washington DC, The National Academiy Press, 1997, pp. 116-23.

Keynes J.M., Essays in persuasion. Economic possibilities for our grandchildren, *The collected writings of J.M. Keynes*, vol. IX, Londres, The MacMillan Press, 1936.

Lambin E.F., Geist H., Regional differences in tropical deforestation, *Environment* 45 (6), 22-36, 2003.

Lambin E.F., Geist H., Lepers E., Dynamics of land use and cover change in tropical regions, *Annual review of environment and resources* 28, 205-41, 2003.

Lele U., Viana V., Veríssimo A., Vosti S., Perkins K., Husain S.A., *Brazil, forests in the balance : challenges of conservation with development. Evaluation country case study series*, Washington DC, The World Bank, 2000.

Lindqvist C. (ed.), *Globalization and its impact on Chinese and Swedish society*, Stockholm, Forskningsrâdsnämnden (FRN), 2000.

Liu J., Daily G.C., Ehrlich P.R., Luck G.W., Effects of household dynamics on resource consumption and biodiversity, *Nature* 421, 530-3, 2003.

Malthus T., *An essay on the principle of population ; or a view of its past and present effects on human happiness*, 1878.

Maslow H., A theory of human motivation, *The psychological review* 50, 370-96, 1943.

McNeill J.R., *Something new under the sun. An environmental history of the twentieth-century world*, New York, W.W. Norton & Company, 2001.

Meadows D. H., D. L Meadows, J. Randers, W. W. Behrens III, *The limits to growth : a report for the Club of Rome's project on the predicament of mankind*, New York, Universe Books, 1972.

Millenium Ecosystem Assessment, *Ecosystems and human well-being : a framework for assessment*, Washington, Island Press, 2003.

Mol A.P.J., *Globalization and environmental reform : the ecological modernization of the global economy*, Cambridge, MIT Press, 2001.

Myers N., Consumption : challenge to sustainable development, *Science* 276 (5309), 53-5, 1997.

Myers N., Kent J., *Perverse subsidies. How tax dollars can undercut the environment and the economy*, Washington DC, Island Press, 2001.

Parmesan C., Yohe G., A globally coherent fingerprint of climate change impacts across natural systems, *Nature* 421, 37-42, 2003.

Petschel-Held G., A. Block, M. Cassel-Gintz, J. Kropp, M.K.B. Lüdeke, O. Moldenhauer, F. Reusswig, H.J. Schellnhuber, Syndromes of global change : a qualitative modelling approach to assist global environmental management, *Environmental modeling and assessment* 4, 295-314, 1999.

Planchon A., *Saturation de la consommation*, Paris, Mame, coll. « Repères-Économie », 1974.

Ponting C., *A green history of the world. The environment and the collapse of great civilizations*, New York, St Martin's Press, 1974.

Redman C.L., *Human impact on ancient environments*, Tucson, University of Arizona Press, 1999.

Robertson R., *Globalization : social theory and global culture*, Londres, Sage, 1992.

Root T.L., Price J.T., Hall K.R., Schneider S.H., Rozenzweig C. et al., Fingerprints of global warming on wild animals and plants, *Nature* 421, 57-60, 2003.

Schor J.B., *The overspent american*, New York, Harper Perennial, 1998.

Sénèque le Jeune, *Problèmes physiques (Quaestiones naturales).*

Trewavas A., Malthus foiled again and again, *Nature* 418 (6898), 668-670, 2002.

Velben T.B., *The theory of the leisure class*, 1899, rééd. Dover & Thrift Editions, 1994.

Weber, M., *Économie et société*, Paris, Plon, 1971.

Wernick I.K., Consuming materials : the American way, *Technological forecasting & social change* 53, 111-22, 1996.

Wilk R., Consumption, human needs, and global environmental change, *Global environmental change* 12, 5-13, 2002.

Young O.R., *The institutional dimensions of environmental change*. Fit, interplay and scale, Cambridge, MA, MIT Press, 2002.

Chapitre v

Braudel F., *L'Identité de la France : espace et histoire*, Paris, Arthaud-Flammarion, 1986.

Bourgenot L., Quelques réflexions sur l'histoire des forêts françaises, *Comptes rendus Académie agriculture français* 79, 85-92, 1993.

Clout H.D, *The Land of France* 1815-1914, Londres, Croom Helm, 1983.

Diamond J., Ecological collapses of past civilizations, *Proceedings of the American Philosophical Society* 138 (3), 363-70, 1994.

Diamond J., The last americans, environmental collapse and the end of civilization, *Harper's magazine* 306 (1837), 43-51, 2003.

Gill R., *The great Maya droughts : water, life and death*, Albuquerque, University of New Mexico Press, 2000.

Haug G.H., Günther D., Peterson L.C., Sigman D.M., Hughen K.A. et al., Climate and collapse of Maya civilization, *Science* 299, 1731-5, 2003.

Hodell D.A., Brenner M., Curtis J.M., Guilderson T., Solar forcing of drought frequency in the Maya lowlands, *Science* 292, 1367-70, 2001.

Hoyois G., *L'Ardenne et l'Ardennais*, Gembloux, Duculot, 1949-1953, 2 vol.

Leestmans C.H., *Histoire d'une vallée : la Lienne en Haute-Ardenne : 1500-1800*, Stavelot, Chauveheid, 1980.

Mather A.S., The transition from deforestation to reforestation in Europe, in Angelsen A. et Kaimowitz D. (eds), *Agricultural technologies and tropical deforestation*, CABI Publishing, Wallingford, New York, 2001, pp. 35-52.

Mather A.S., Fairbairn J., Needle C.L., The course and drivers of the forest transition, the case of France, *Journal of rural studies* 15 (1), 65-90, 1999.

Mather A.S., Needle C.L., The forest transition : a theoretical basis, *Area* 30.2, 117-24, 1998.

Mather A.S., Needle C.L., Coull J.R., From resources crisis to sustainability : the forest transition in Denmark, *International journal of sustainable development and world ecology* 5, 182-93, 1998.

Petit C. et Lambin E.F., Long-term land-cover changes in the Belgian Ardennes (1775-1929) : model-based reconstruction *versus* historical maps, *Global change biology* 8 (7), 616-31, 2002.

Stuart D., Historical inscriptions and the Maya collapse, in Sabloff J. et Henderson J.S. (eds), *Lowland Maya civilization in the eight century* AD, 321-54, Washington, Dumbarton Oaks, 1993.

Victor D.G., Ausubel J.H., Restoring the forests, *Foreign affairs* 79 (6), 127-44, 2000.

Webster D., *The fall of the ancient Maya : solving the mystery of the Maya collapse*, New York, Thames & Hudson, 2002.

Whitmore, T.M., Turner II B.L., Johnson D.L., Kates, R.W. et Gottschang T.R., Long-term population change, in B.L. Turner II et al., *The earth as transformed by human action*, Cambridge, Cambridge University Press, 1990.

Chapitre VI

Adger W.N., Benjaminsen T.A., Brown K., Svarstad H., Advancing a political ecology of global environmental discourses, *Development and change* 32, 681-715, 2001.

Behnke R., Scoones I., Kerven C., *Range ecology at disequilibrium : new models of natural variability and pastoral adaptation in African savannas*, Londres, Overseas Development Institute, 1993.

Bovill E., The encroachment of the Sahara on the Sudan, *Journal of the African Society* 20, 259-69, 1920.

Centre d'archives d'outre-mer, Affaires économiques, R24 (14 MI 1566), Mission forestière, 1907.

Convention pour combattre la désertification, http://www.unccd.ch

Ellis J., Swift D., Stability of African pastoral ecosystems : alternate paradigms and implications for development, *Journal of rangeland management* 41, 450-9, 1988.

Fairhead J, Leach M., *Misreading the African landscape : society and ecology in a forest-savanna mosaic*, Cambridge, Cambridge University Press, 1996.

Fairburn W., *Report on sylvan conditions and land utilization in northern Nigeria*, Kaduna, Ministry of Agriculture, 1937.

Glantz M.H., Drought follows the plow, *The World & I*, 1988, pp. 206-13.

Gonzales P., Desertification and a shift of forest species in the West African Sahel, *Climate research* 17, 217-28, 2001.

Helldén U., Desertification. Time for an assessment ? *Ambio* 20 (8), 372-83, 1991.

Hulme M., Kelly M., Exploring the links between desertification and climate change, *Environment* 35 (6), 4-45, 1993.

Hulme M., Climatic perspectives on Sahelian desiccation : 1973-1998, *Global environmental change* 11 (1), 19-29, 2001.

Jouve P., Sécheresse au Sahel et stratégies paysannes, *Sécheresse* 2 (1), 61-9, 1991.

Kerven C. (ed.), *Prospects for pastoralists in Kazakstan and Turkmenistan : from state farm to private flocks*, Londres, Curzon Press, 2001.

Lamprey H., Report on the desert encroachment reconnaissance in northern Sudan : 21 October to 10 November 1975, reprinted in *Desertification control bulletin* 11 (17), 1-7, 1975.

L'Hôte Y., Mahé G., Somé B. et Triboulet J.P., Analysis

of a Sahelian index from 1896 to 2000 ; the drought continues, *Hydrological sciences journal* 47 (4), 563-72, 2002.

Lindqvist S., Tengberg A., New evidence of desertification from case studies in Northern Burkina Faso, *Geografiska Annaler* 75A (3), 127-35, 1993.

Mabbut J.A., A new global assessment of the status and trends of desertification, *Environmental conservation* 11 (2), 103-13, 1984.

Mainguet M., *Desertification. Natural background and human mismanagement*, Heidelberg, Springer-Verlag, 1991.

Mortimore M., Adams W.M., *Working the Sahel : environment and society in Northern Nigeria*, Londres, Routledge, 1999.

Nelson R., Dryland management : the « desertification » problem, *Technical paper* n° 116, Washington DC, The World Bank, 1989.

Niamir-Fuller M. (ed.), *Managing mobility in African rangelands. The legitimization of transhumance*, Londres, Intermediate Technology Publications Ltd, 1999.

Nicholson S.E., Long-term changes in African rainfall, *Weather* 44 (2), 46-56, 1989.

Niemeijer D., Mazzucato V., Soil degradation in the West African Sahel. How serious is it ?, *Environment* 44 (2), 20-31, 2002.

Oba G., Stenseth N. C., Lusigi W. J., New perspectives on substainable grazing management in arid zones of sub-Saharan Africa, *Bioscience* 50, 35-51, 2000.

Oldeman, L.R., Hakkeling, R.T.A. et Sombroek, W.G., *World map on the status of human induced soil degradation* (revised edition), Nairobi, ISRIC et PNUE, 1991.

Prince S.D., Brown de Colstoun E., Kravitz L.L., Evidence from rain-use efficiencies does not indicate extensive Sahelian desertification, *Global change biology* 4, 359-74, 1998.

Puigdefabregas J., Ecological impacts of global change on drylands and their implications for desertification, *Land degradation & development* 9, 383-92, 1998.

Rasmussen K., Fog B., Madsen J.E., Desertification in reverse ? Observations from northern Burkina Faso, *Global environmental change* 11, 271-82, 2001.

Raynaut C., *Societies and nature in the Sahel*, Londres, Routledge, 1997.

Reynolds J.F., Stafford-Smith D.M. (eds.), *Global desertification. Do human cause deserts ?*, Berlin, Dahlem University Press, 2002.

Schlesinger W.H., Gramenopoulos N., Archival photographs show no climate-induced changes in woody vegetation in the Sudan, 1943-1994, *Global change biology* 2, 137-41, 1996.

Stebbing E., The encroaching Sahara : the threat to West African colonies, *Geographical journal* 85, 506-24, 1935.

Tucker C.J., Dregne H.E., Newcomb W.W., Expansion and contraction of the Sahara desert from 1980 to 1990, *Science* 253, 299-301, 1991.

Watts M.J., Social theory and environmental degradation, in Gradus Yehuda (ed.), *Desert development. Man and technology in sparselands*, D. Reidel Publishing Company, 1985, pp. 14-32.

Chapitre VII

Ausubel J.H., Langford H.D. (eds.), *Technological trajectories and the human environment*, Washington DC, National Academy Press, 1997.

Ayres R.U., *Turning point : the end of the growth paradigm*, Londres, Earthscan, 1998.

Cohen J.E., Population growth and earth's human carrying capacity, *Science* 269, 341-6, 1995.

Daily G.C., Ellison K., *The new economy of nature : the quest to make conservation profitable*, Washington, Island Press, 2002.

Dobson A.P., Bradshaw A.D., Baker A.J.M., Hopes for the future : restoration ecology and conservation biology, *Science* 277, 515-22, 1997.

Elgin D., *Voluntary simplicity. Toward a way of life that is outwardly simple, inwardly rich*, New York, Quill, 1998.

Gleick P.H., Soft water paths, *Nature* 418, 373, 2002.

Grübler A., *Technology and global change*, Cambridge, Cambridge University Press, 1998.

Hawken P., Lovins A., Lovins L.H., *Natural capitalism creating the next industrial revolution*, Boston, New York, Little, Brown and Company, 1999.

Hoffert M.I., Caldeira K., Benford G., et al., Advanced technology paths to global climate stability : energy for a greenhouse planet, *Science* 298 (5595), 981-987, 2002.

Hutter B., Compliance and beyond, *European Business Forum on sustainable development*, 2002, pp. 11-2.

Kates R.W., Population and consumption. What we know, what we need to know, *Environment* 42 (3), 10-9, 2000.

Keith D.W., Geoengineering the climate : history and prospect, *Annual review in energy and the environment* 25, 245-84, 2000.

Larssen S., Barrett K.J., Fiala J., Goodwin J., Hagen L.O. et al., Air quality in Europe, state and trends 1990-99, *European environment agency* 4, 2002.

Liu J., Daily G.C., Ehrlich P.R., Luck G.W., Effects of household dynamics on resource consumption and biodiversity, *Nature* 421, 530-3, 2003.

Lutz W., Sanderson W., Scherbov S., The end of world population growth, Nature 412, 543-5, 2001.

McNeill J.R., *Something new under the sun. An environmental history of the twentieth-century world*, New York, W.W. Norton & Company, 2001.

Myers N., Kent J., *Perverse subsidies. How tax dollars can undercut the environment and the economy*, Washington DC, Island Press, 2001.

Norgaard R.B., *Development betrayed. The end of progress and a coevolutionary revisioning of the future*, Londres, Routledge, 1994.

Orr D.W., *The nature of design. Ecology, culture and human intention*, New York, Oxford Press, 2002.

Princen T., Maniates M., Conca K. (eds.)., *Confronting consumption*, Cambridge, MA, MIT Press, 2002.

Rosenblatt R., Smiley J., Mukherjee B. (eds.), *Consuming desires. Consumption, culture, and the pursuit of happiness*, Washington DC/Covelo, Island Press/Shearwater Books, 1999.

Schor J.B., *The overspent american*, New York, Harper Perennial, 1998.

Schumacher E.F., *Small is beautiful. Economics as if people mattered*, Vancouver, Hartley & Marks, 1973.

Segal J.M., *Graceful simplicity. The philosophy and politics of the alternative American dream*, Berkeley, University of California Press, 2003.

Smil V., *Feeding the world. A challenge for the twenty-first century*, Cambridge, The MIT Press, 2000.

Stahel W.R. et Borlin M., *Stratégie économique de la durabilité*, Genève, Société de Banque Suisse, 1987.

Wernick I.K., Consuming materials : the American way, *Technological forecasting & social change* 53, 111-22, 1996.

World Population Prospects. *The 2002 revision*, Working paper 180, I-IX, Washington DC, The United Nations Population Division, 26 février 2003.

Conclusion

Berkes F., Colding J. et Folke C., *Navigating social-ecological systems*, Cambridge, Cambridge University Press, 2003.

Havel V., *Les flèches du renouveau*, publié dans des quotidiens par Project Syndicate, 2000.

Hulot N., *Le Syndrome du Titanic*, Paris, Calmann-Lévy, 2004.

Landes D., T*he wealth and poverty of nations. Why some are so rich and some so poor*, New York, W.W. Norton & Company, 1998.

Reeves H., *Mal de Terre*, Paris, Seuil, 2003.

Schor J.B., Taylor B. (eds.), *Sustainable planet. Solutions for the twenty-first century*, Boston, Beacon Press, 2003.

Wilbanks T.J., Sustainable development in geographic perspective, *Annals of the Association of American geographers* 84 (4), 541-56, 1994.

Le grand tournant : les défis du Sommet de la T. 2012

1) L'accélération de l'histoire

les données -
p. 57 : où allons nous ?
pouvoir d'anticipation (Anatol Rapoport) - aggiornamento de la pensée.

2) La troisième vague

→ révo. néolithique

→ rév. industrielle

→ l'Anthropocène

3) Les Lumières

- politiques énergétiques

- les rév. vertes

- la rév. bleue

4) ~~+ Les défis du sommet de la Terre~~

Conférence de dernière chance ?
aggiornamento de la gouvernance.
Un Fonds mondial

base européenne
& D, 5 % PSB

coopération pour firmes
- groupes mixtes
- semi-mixtes
- temporaires

rev. Glene

l'~~entreprise~~ essor des groupements

l'axe Bruxelles-Delhi

* intégration au PSB interne
vis des frontières
l'Europe ?

G-2, G-rev.
G-10 ?

40

La troisième vague

1) en commençant au Jura
la révolution néolithique

2) la rév. industrielle portée
par l'usage massif des
énergies fossiles
, événement.

3) les biocivilisations mettant
usage massif et multiple de
biomasse.

[Les trois phases de la rev. verte
biochimie → horticulture]

evergreen (doublement verte)

rev. bleue

X

L'Anthropozène → Paul Crutzen

La 3ème fournit la troisième vague :
l'avènement des biocivilisations
de l'âge du pétrole aux biocivilisations
n'aurait
[les poste étatiste]

les rév. vertes
la rev. bleue
comment s'y prendre ?
suggestions de la planification

Achevé d'imprimer sur les presses
de l'imprimerie EMD.
n° d'imprimeur : 23286
n° d'éditeur : 090473-01
Dépôt légal : mai 2010

Imprimé en France

Avis aux géomants : [illegible]

Le grand tournant :

de la pensée 2 gds transitions

- rév. néolithique, grandes cités

destruction créatrice (Schumpeter)

que nous avons juste à son

paroxysme

au XXe nous avons

évité de justesse l'anéantissement

de l'espèce humaine - Holocauste

avec [illegible] & une menace

plus sérieuse : le changement

climatique qui pourrait

rendre inhabitable le

vaisseau Terre pour les

générations que nous sommes

devenus [illegible]

Les [illegible] est [illegible]

qualité humaine pouvoir

d'anticipation.

Sommes-nous [illegible]

le [illegible] < [illegible]

Le grand tournant : crise — crise de [illegible] — chemins, opportunités, [illegible]